U0938380

我在電腦地圖上
發現了一宗謀殺案

Dedicated to everyone who still finds joy in reading,

and my beloved husband,

and welcome our beloved little one.

自序

不知不覺來到了第五本書，《我在電腦地圖上發現了一宗謀殺案》的七個故事的題材都是取自生活，生活的所有都是我的題材，而近年最多人討論和應用的一定是關於人工智能的議題，本書當中都有以此作為題材的故事，不過我是挺喜歡人工智能的！在全職的工作方面，我可謂一個人工智能應用小能手，我早就說過我是一個很懶的人，所以很有興趣研究怎樣可以用最少的力度去完成工作，令自己更舒服！我現在是一個人工智能發號司令者！

不過，倒是有些人擔心人工智能會取代人類，連創作和書本可能都將會變得不重要或根本不需由人來寫作。但我最近看到一篇題目為〈當ＡＩ

取代了大部分的寫作，人類還能寫些甚麼？〉的文章，當中提到即使人工智能再強，寫作對人類來說從來不只是「生產文本」，而是思考、表達、整理自己內在世界的一種方式。我們在「寫」的過程中，其實是在釐清自己的想法，我們並不是因為「這篇文章有市場價值」才寫，而是因為我們想理解這個題目。

文章亦指出人工智能可以模仿幽默，因為幽默有規則可循。但人工智能無法真正理解創傷、失落、愛和掙扎等，它只能模仿這些感受的「文字表現」，卻無法真正「經歷」這些感受。而人類最能引起共鳴的寫作，往往來自真實體驗的痛苦、困惑與探索。人工智能可以假裝知道「失去摯愛的感受」，但它不會真的「知道」那是甚麼，這種內在的「生命感」，是人工智能難以複製的。

而當寫作不再是一種競爭力，人類可能會寫更多「不必要的東西」，不再是為了賺錢或影響別人，而是純粹為了快樂、為了紀錄或為了讓自己活得更完整。如果人工智能真的無所不寫，那麼人類或許會轉向「無用而真實的創作」。

而這種「無用」，可能正是我們存在的價值。

所以在我而言，擁抱人工智能，可能才是令我們可以更自由創作的一個方向吧？

這本小說就是在如此的背景下成書的。

目錄

婆婆，買個濾水器呀？

「你好呀！我們是水務署的職員！有人嗎？」門外傳來一陣急促的拍門聲，屋內的婆婆本身正在看電視，每天午飯後，她最喜歡的就是如此的片刻，看着窗外風和日麗的景色，然後自己在家中看着午間的消閒電視節目，看看主持人介紹美食、教煮餸和説時事，看累了就躺到身後鋪着竹席的床上小睡一會。婆婆雖然沒有多餘錢，但卻覺得這樣的生活已經很寫意，亦享受每天這一點點的寧靜。

不過，這珍貴的寧靜時刻，今天卻被打斷了。但婆婆其實已經習慣，因為獨居的關係，平時都有很多義工和社工輪流探訪她，今次到水務署職員喔？門外的那人如此説。也好，可以跟他們談兩句，婆婆心想。都活到了這把年紀，老伴不在身邊，兒女亦已經長大，有自己的家庭，很難再要求每天抽時間照顧自己吧？所以，有可以説上一兩句話的對象，婆婆還是有點愉快的。

婆婆緩慢地抓住沙發的扶手，然後稍微使力站了起來。她一步一步抖着慢慢地來到門口，那急促的敲門聲又響起了。婆婆打開了大門，對方就在鐵閘外面。

「你好，婆婆！我是水務署的職員，可以進來替你檢查一下嗎？」對方是一個年約四十歲的女士，束着一條小馬尾，穿着簡單的白色衫及牛仔褲，揹着一個黑色沉甸甸的背包。她亦出示了證件讓婆婆確認，不過婆婆已經八十歲，眼睛不好，她又只拿出了證件幾秒，為免麻煩，婆婆就裝作看到了，然後打開鐵閘。

「婆婆，你兩公婆住嗎？吃了飯沒有？」女人以熟絡的語調問婆婆，並一邊放下自己的背包。她更當作是自己家似的，沒等婆婆介紹，就在屋內任意活動。

「哦……我一個人住呀。」婆婆拉上鐵閘，而女人則已經繞過了婆婆，自行走進屋內。

「你安裝了濾水器嗎？你的廚房有安裝嗎？」

婆婆一臉不明所以，只覺得這個女人非常進取。

「吓？甚麼濾水器？」婆婆緩緩地回答。

而女人已經走到廚房中檢查，看看婆婆有沒有安裝濾水器。

「咦！婆婆你還未安裝呢！你知不知道甚麼是濾水器呀？因為你們這座樓宇的水質有問題！即水龍頭跑出來的水中有很多很多細菌的意思！多飲的話，很可能會中毒或生病。你明白我在說甚麼嗎？」女人連珠炮發地解釋予婆婆知道。

她續道：「我們現在想替你裝個濾水器過濾食水，煲水、煲湯或煮飯都能用得上的，家家戶戶都有安裝，保障自己身體健康！」

正當婆婆想問職員是否免費時，女人就已經搶白，道：「我們現在做長者優惠！一次過繳清便有十年維修保養！只售一千六百八十元！好不好？安裝嗎？」女人的對白在推銷，但語氣卻在命令婆婆似的，那些選擇問題，根本就帶有威脅的意味。

婆婆支吾以對，實在不知如何是好，因為未曾遇到如此情況，自己有能力可以請這女人離開嗎？但她說家家戶戶都有安裝，如果自己不安裝的話，需要交罰款嗎？還是會犯法呢？

女人見婆婆稍有猶豫，隨即就說：「婆婆你有錢嗎？你的仔女有沒有給你家用？不過最緊要身體健康喔！錢財身外物，健康才是真正的財富！」

婆婆在帶點恐懼的情況下，加上被女人不停疲勞式轟炸，只好拿出自己的小銀包出來，打算交點錢，希望可以打發她離開……

「不夠錢呢⋯⋯我銀包只有二百元⋯⋯」婆婆無奈地說，同時讓職員看看自己的銀包內真的只有二百元，女人二話不說便從婆婆的銀包內先拿走二百元。

「不夠錢？婆婆你領綜援嗎？」女人的語氣有點挑釁。

「我沒有領綜援。」

「那為甚麼會不夠錢呢？」女人的語調漸現嚴厲，令婆婆有點膽怯。

婆婆被逼得眼泛淚光，這是甚麼狀況呀？為甚麼會在自己家中被審問？

「你再找找吧！我算你便宜一點，收你一千三百元吧！我減價又再減價呀，因為這個真的是最後一個了，我們快點處理完，然後我要去食飯呢，我都很可憐的，不過我真心想幫你。」女人説着一堆沒邏輯的對白，只想催促婆婆快點交出錢來，完全沒有讓婆婆答話的空間。

婆婆有點崩潰地說：「我真的沒有錢呀……」

「夾萬呢？你有沒有夾萬？利市呢？你有嗎？你再慢慢找找看，因為濾水器真的很貴。你會不會問鄰居借？不如你逐個手提包檢查一下，我在幫助你呀！機會錯過了就沒有了！快看看那些手袋有沒有錢吧！」女人開始有點不耐煩了，可能真的因為還未食飯而想趕去食飯？

「我的手袋沒有錢呀……」婆婆沒辦法下只好真的在女人面前翻翻平時買餸用的小袋子。

「我見你還有很多包包呀！那麼多包包都說沒有錢嗎？再找找看啦！看！有了吧？還有很多呢？」女人興高采烈地搶過婆婆由某個手袋中找

出來的小錢袋，然後查看內裏有多少錢。

「我替你安裝完就可以食飯了！我都說我真的比你還要慘呀，還未食飯！」女人在小錢袋中拿了好些錢，可能比原本的一千六百八十元還要多。

婆婆眼見錢在自己面前被搶去，真的非常無奈，但自己又可以做甚麼呢？對方推一推自己就已經可以令自己受傷。眼睜睜看着錢被搶，但自己也無能為力，只是沒想到現在「打劫」的手法會如此猖狂……豈料，這女人竟然仍未心息。

她由背包取出濾水器後，隨手在廚房完成安裝，她說：「婆婆，好來好去，你可以封個利市給我嗎？一百幾十都可以！」之後還真的厚臉皮地拿出自己準備好的利市封，放在婆婆面前作一個乞討狀。

婆婆只希望快點打發她走，於是給她一點零錢，女人一手搶去婆婆手中的零錢，更連同婆婆手上的金手鐲都一拼脫下，放到自己的利市封中，婆婆想要回，但女人移動迅速，更說：「你要認得我呀！我有空來找你食飯呀！」她滿心歡喜地將所拿到的通通放到背包裏。

當她想留下一臉茫然的婆婆揚長而去，鐵閘卻怎樣搖都打不開，是壞了嗎？她再粗暴地拉了幾下兼轉動鐵閘的鎖，可是仍然打不開。

正當她想回頭叫婆婆給她開門時，鐵閘外有一塊鐵板徐徐下降，屋內就響起了「INSECURE！INSECURE！INSECURE！」的機械聲線。

只見婆婆慢慢地走到自己的小木椅前，然後坐下來，表情就如準備觀賞最喜歡的電視劇一樣。

女人想衝過去向婆婆發難，但一道玻璃幕牆瞬間在婆婆面前升起，女人狠狠地撞個正着，使她的鼻一片瘀青兼流出鼻血。

「你這老太婆！你這是想怎樣？我是你的恩人呀！我幫了你，你還不讓我走，這算甚麼呀？快點打開大門！」女人收起了剛才那副嬉皮笑臉的虛假模樣，露出猙獰的樣子，是因為不忿氣自己事敗了吧？女人更發了瘋地不停拍打及以拳頭擊打玻璃，但都沒有任何作用，加上因為玻璃真的太厚實，防撞、防彈、防刮花，更加非常隔音，所以婆婆的表情就如在問女人：「吓？你在說甚麼？我甚麼都聽不到。」

女人不知道下一秒會出現甚麼，她實在猜想不到，明明是一個三百多呎的單位，明明自己已經成功闖入過幾十間這類老人屋，明明已經非常敏捷兼沒有讓對方有喘息的機會，為甚麼自己現在會面對如此狀況？不過，現在是甚麼狀況，她其實都難以確認。

突然有個扁扁圓圓的吸塵機械人走出來，「現在還吸甚麼塵！」女人怒吼，然後打算一腳重重地就跺下去，想將吸塵機踩爛，但吸塵機的吸咀位，突然伸出了一片圓圓的金屬片，並高速地轉動！

女人的右腳已經踢出去收掣不及了，她不偏不倚地踢中了那個就如小型圓鋸機的金屬圓片位置！那個畫面快到差點看不清，只見有半個鞋頭飛往相反方向，而那個切口非常工整，應該要有一定的轉動速度和鋒利度才能做到這樣的效果。女人的一排腳趾頭同時散落於四周，還在自己腳上的，變成了一個整整齊齊的大腳掌，沒有腳趾的大腳掌，非常滑稽，婆婆看到都忍不住微笑。

沒錯，婆婆平日除了看那些午間節目外，晚上還挺喜歡看恐怖片的，畢竟生活平淡，有時需要一點刺激，每看到一套好電影，婆婆就會覺得很滿足，偶爾更會覺得，沒想到活到了八十歲，仍然有些情節和視覺效果會令自己感到新鮮和驚喜，所以，縱使年邁，但看電影還是必需的。

女人不敢相信自己眼前所見，跌坐在地上的她，看到自己原先右腳趾的所在位置，現在空空如也兼變成了一個活血小噴泉。那股劇痛感覺好像經視覺確認後才傳輸上大腦，這刻的女人才知道眼前這個大腳掌是自己的，這才懂得要尖叫、要表達自己的恐懼、要求救！金屬圓片高速轉動的聲音沒有離她而去，那個智能吸塵機彷彿有生命似的，聽到女人的尖叫就回過頭來，不能讓她有一絲喘息的空間。女人驚恐地想爬起來逃走，一抹鼻涕一抹眼淚的好不狼狽，可是她的右腳一使力作為站起來的支點就已經痛到令她差點休克，明明電影中的那些人，中了槍或被捅刀後，都仍有氣有力地又跑又跳，但原來都是騙人的……女人很絕望，眼見那個吸塵機要向自己走過來了！

「看我把你踢飛！」她充滿了怒火，既然沒有更好的選擇，就放手一搏吧！説真的，她沒想到平日強勢地闖入老人屋的她猶如一個勇士，如今竟然要與一個吸塵機對抗，這是多麼可笑的一個畫面。就在吸塵機衝向她的左腳，女人準備以右腳大腳掌還擊的一瞬間，女人的雙手被一對手銬給扣起來了，手銬各連着一條鋼製的粗鐵鏈，然後兩條鐵鏈快速收緊將女人吊了起來。

女人一下子就雙手過頭地被吊在天花板之下，那兩條鐵鏈原來是由電燈中延伸出來的。女人心想，自己的左足算是保住了吧？雖然右腳指頭仍不斷血流如注，但起碼左腳仍健在。不過她也提醒自己別開心得太早，因為這又是一個新的狀況，自己之後會被怎樣呢？這刻的她，可能寧願自己被捉到警署吧？看到那邊的婆婆氣定神閒的樣子，就令女人更加嬲怒！

「老太婆！你夠了吧！我憑自己的實力向你要錢，我不是白拿的！我幫你安裝了濾水器，你還好人當賊辦，恩將仇報？你要怎樣才肯罷休？」女人又大叫。

可是婆婆只是皺皺眉及瞇起眼：「吓？」聽不到喔，你就好好表演吧！

天花敞開了一道小閘門，中央是一頂大大的太陽燈，不知道大家有沒有感受過射燈的熱力呢？又或者拍攝用的紅頭燈呢？紅頭燈有專用的濾色片，不可以使用相類似的玻璃紙，不然會熱到將玻璃紙燒着。女人頭頂的太陽燈就是這類會有強勁熱力的太陽燈。雖然此刻仍未開燈，但她已經心驚膽顫……

「噠！」燈一亮起，要開場了，婆婆拍起手來，開始表演了嗎？今天的主角是假冒水務署職員的女騙子！婆婆的腦內彷彿響起了綜藝節目的熱鬧音樂，歡樂的氣氛就如嘉年華一樣，令人不禁想哼起歌來了！

扣着女人雙手的鐵鏈慢慢收緊，她也隨即被吊得更高，與太陽燈的距離愈來愈近，「你要怎樣才可以放過我……我將剛剛的錢都交回給你吧，你就放過我啦！」她求饒道。不過婆婆都沒聽到，剛剛的錢？那之前騙其他人的錢呢？要怎樣還？她說的廢話，婆婆都聽不入耳，又或者可能真的聽不到。

女人感到頭皮發麻，頭皮比起其他皮膚都脆弱，熱力逐漸令灼傷的情況更加嚴重，會裂開嗎？女人絕望地想……為了減少頭皮直接被慢煮的情況，她嘗試仰起頭來，讓頭皮稍為休息，並以自己的臉跟頭皮作交替，她痛苦得不停呻吟和亂叫，不過因為四周都是隔音物料，所以隨便大叫吧！然而，以臉和頭皮輪流被灼，就真的可以減慢損傷嗎？有用嗎？有時看到這些趣怪舉動，都會令婆婆感到不解，但又覺得他們很逗趣，痛苦難耐？掙扎的雙腳淩空亂踢像跳舞，婆婆看着，憶起自己年輕時都可以如此敏捷地擺動自己的身軀，如今就只能緩慢地坐着了，還好有人工智能和智能設備幫助自己生活和保護自己，真的多得兒子替自己安裝這套系統呢！

電影《鬼魅山房》（Silent Hill）中，其中最令婆婆印象深刻的一幕，就是最後女探員被火燒得臉皮爆裂的一段，每次回想都覺得很震撼，現在眼前的女人就正在重演這一場戲，看着她的臉皮被燒得裂開，感覺有點像燒烤時烤芝士腸的感覺，我們要等的就是「噗」一聲爆開的一刻，看到那個狀況就會覺得安心，並有點急不及待想塗蜜糖兼送進口中。

就在女人痛苦地叫喊的一瞬，腳底下的地板打開，鐵鏈一下子放長，女人失去重心地跌落在地板中的垂直長形水池中，「這次又想怎樣……」女人已經有氣無力，她只想快點結束這一切，怎樣才可以令婆婆消氣？只是騙她一千幾百，為甚麼要受如此酷刑？

女人全身都浸在水池中，水的高度正好是她站立時，於鼻子的高度，雖然可以稍為舒緩剛剛皮膚被嚴重灼傷的刺痛感，不過又不知道這下要捱多久……

——-🜄

男人拉開鐵閘，看到年邁的媽媽坐在沙發上看晚間節目，更不時輕輕拍手哈哈大笑。

「媽！你沒事吧？」說罷，就拉上鐵閘。

「喔！仔，你來了？沒事呀，我好好的！」然後又再繼續看電視。

「我收到系統的通知，一下機就趕來了，這幾天你都沒事就好，就是這個嗎？」男人走近那顆露出地板的頭顱，女人雙手被吊起，下半身都藏在地板下的水池中，她已經不知道站了多久，卻又不能放鬆休息，因為一放鬆就會被淹死吧？所以不能做出站立以外的姿勢，而皮膚不斷滲出膿和發臭的液體，混和在水中的味道實在令人反胃作嘔，而其他長期泡在水的皮膚亦變得浮腫並有點潰爛。而婆婆早已對此失去興趣，繼續如常生活，看電視、吃飯和買餸。

「怎樣可以清理這個人？她一直在這很佔空間。」婆婆有點怨言。

「沒問題，我稍後就叫人處理她。不過我得好好記錄所有狀況才行，畢竟這套系統仍未推出市場，那個保安嚴密程度和人工智能理解狀況並作出適合保護措施的程度都有待調校。」男人一邊檢查着女人那不堪入目的狀態，一邊喃喃地說。

「總之快點清理，她時不時就叫，又臭又佔空間，很不方便，快點丟了她。」男人禁不住笑，媽媽的本能就算到了八十歲都不會變，總是習慣提點孩子要整理這樣，整理那樣。

「行了行了。」然後男人過去看看那個女人，女人的眼神散渙，但看到男人一副悠閒步姿走近，她眼中瞬間充滿了憤怒。

「你們這對變態母子！」隨即向男人的鞋頭吐了口水，她可能已經放棄了生存吧？怎麼她都不求饒？男人定定地看着鞋頭的那片口水，又再看看女人那髒兮兮的模樣，深深的一整片黑眼圈、披頭散髮及臉上滿是爛溶溶的傷口，「真難看。」男人說。

每一想到現今的騙子橫行無忌，電話詐騙幾乎每天都接到，那些騙子的態度更加愈來愈猖狂，不作聲又問你是否聾了、向他說英文又說聽不懂，直接掛電話嗎？他們更加會立即再打來質問你為甚麼要掛電話！而這次親身來詐騙的，是一個入屋行劫的情況。男人不禁無奈地搖搖頭，果然真的要落力地打擊這些騙子。

然後，他將那沾了口水的鞋頭，一腳朝女人的口中踢去，女人立時被重擊得吐出來，但嘔吐物卻又無處噴出，嗆到她不停抽搐。男人抽出了腳，然後踩住女人的頭頂施力，讓她的頭完全地被水池中的水淹沒。男人的腳底下揚起了陣陣水花，他卻一邊冷靜地掏出自己的手機並撥號。

「嗯，我差不多處理好，報告之後再寫，請你安排專車來處理編號二百七十三。這次人工智能系統分析所得的反擊方法似乎還不錯，不過等我回來再詳細談談，因為這次用太陽燈燒皮膚似乎會產生惡臭，不太衛生。嗯，好的，我等你。」說罷，腳下已經回復平靜了。

這已經是這個月的第二百七十三宗詐騙案，難怪政府希望以嚴厲的手法打擊這類騙案，男人看着已經浸在水中沒有抬起頭來的女人，想：或許她沒想到這次會失敗吧？又或者沒想到騙一千幾百會丟了性命吧？

希望人工智能系統可以再改進，到時可以擴大與政府的合作層面，讓家家戶戶都有這些防盜設施就好了。在這些騙子眼中的一千幾百，可能是那些婆婆伯伯好一段時間的生活費，有些更因為被騙了大面額的金錢，臨老都要受苦不能安享晚年……每一想到如此，男人就可以狠下心來，處理這些垃圾。

「真難看。」他再搖搖頭。

那邊廂，婆婆回頭對兒子說：「今晚要留下來吃飯嗎？」

男人笑一笑，點點頭，「媽，要不要真的替你買一個濾水器？」

拉下窗簾

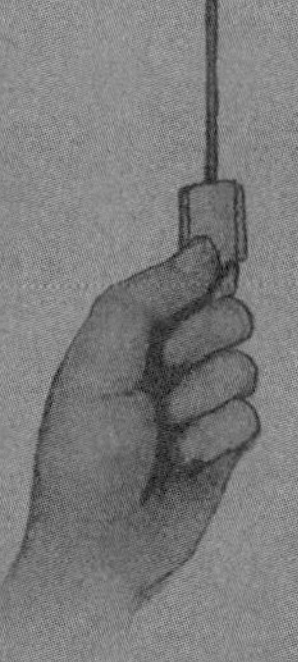

「你很大壓力嗎？」我對正在電腦畫面播放着「擠黑頭」片段的正風說。

「嗯。」他轉過來看一看我，表情好像有閃過一點不耐煩，但很快就消失了，可能覺得我打擾了他的減壓活動吧？不過我將頭湊近他，從後環抱他的脖子，他就擠出一點笑容。

「怎麼不叫我一起看呀？」我說。看「擠黑頭」片段可是我們的共同興趣，每每覺得壓力大，工作或生活上不順心，我們就會看看這類片段紓壓。可能很多人覺得很噁心？但我知道同好者大有人在！至少我和正風都是同類人，不過我們的喜好則有點不同，我喜歡看的是那些「千年黑頭」類別，即美容師一擠就會看到磨菇似的黑頭由被擠壓的皮膚中長出來，清理後會留下一個小洞，非常治癒又潔淨，就像自己心中的不快都會隨之而消散，過程更是既緊張又減壓，因為不知道髒物會以怎樣的方式被清理出來，一邊猜測又一邊期待着，然後看到成果後，就會有舒一口氣的感覺。雖然正風喜歡看的是如芝士醬噴射的暗瘡類，但相信得到減壓效果的感受都是一樣的。

這些喜好和最真切的感受，我就只會對他說，只會與他分享，在他面前，我可以毫無保留地做最真實的自己。也因為如此，我就更加想無時無刻都與他在一起，因為他是最了解我的人，我希望甚麼都可以第一時間與他分享。

「你最近工作不順利嗎？」我擔憂地問。他卻搖搖頭，表示沒甚麼，然後就關上視窗及關上電腦熒幕，提議今晚外出用膳。見他眉頭深鎖卻又勉強擠出笑容，我也不再追問原因了，他要說的時候就會讓我知道，雖然我總覺得要按捺好奇心對我來說是極困難的事，不過我是不會強逼他的，不然就只會令他的心情更差，畢竟有時遇到煩心的事時，連覆述事件與人分享都會感到吃力，這點我還是明白的，所以就讓他先調節心情吧。

我們到附近海濱旁的餐廳晚餐，這幾間餐廳都帶有異國風情，如泰國菜、黎巴嫩菜、美式家庭餐廳及西式咖啡室等，在戶外用餐區域更可以看到海濱的景色。每次來這邊晚餐，都有一種讓我們暫時逃離原有生活的錯覺，好像去了旅行而不用面對一切的錯覺。

回程時，正風的心情稍為舒暢了一些，我們散步回去也開始閒聊起來。

「這些是豪宅吧？他們的一樓好像都不算很高呢！」我們經過海濱旁的豪華屋苑，我指着好幾幢樓說，並一邊研究着樓層與行人路的距離，二十米？五十米？感覺很近呢！

「嘩！我還可以清清楚楚看到他們的客廳！在觀看甚麼電視節目都看得到，也太誇張了吧？」我續道。

「他們每一層的樓底都蠻高的，一、二、三……應該只有十層吧？一樓離行人路只有幾十米，如果有些傻人深夜向他們大叫，應該都挺騷擾。」正風說。

「我們都是住一樓，但我們望的景觀是園內景，這幾幢樓說是高級住宅區，一樓卻是對着公眾行人路，也真算慘呢！不過，如果不是傻人，而是一些變態……」我頓一頓，試着製造一點懸疑感，逗逗他。

「如果有一個人，甚麼都不做，單單在這個位置，每晚準時站着，定定地看着你，也夠恐怖了，因為你不能投訴或阻止他，這是公眾地方，你就只可以任由他站在這裏，目不轉睛、明目張膽地監視你。」他說。我最喜歡聽這些故事和聊這類話題的了，有時我還會將這些題材寫成故事，在網絡上發佈，與其他網友一同討論。

「如果是我寫的故事，第一句可能會是：『最近，有一個男人，每晚都在同一個時間在窗外定定地看着我，今天已經是第十九天了。』」我笑說，並一邊開始起即興創作。

「然後呢？」我們最喜歡在閒聊中創作一些天馬行空的故事，說是天馬行空，但也並非毫無根據，我們也會討論一些事情和做法的可行性。

「然後，我會讓大家覺得主角很慘，遇到了一個變態，卻又束手無策，無能為力。看着那個被監視又不知對方意圖的心寒畫面，但又不敢下去與那人來一個正面交鋒；互相對望又感到很毛骨悚然；報警嗎？但這又沒有任何的犯罪意圖和威脅？因為他甚麼都沒有做，根本就阻止不了。」

「到最後，主角會很崩潰，然後憤然地表示：『明明我在十九天前就已經解決了他！為甚麼他還在看着我！』」正風接着說，然後我們都笑翻了，我們都喜歡這種到最後一下子就反轉的故事，看似是受害者的主角，最後卻是加害者，這樣的橋段真的百看不厭。

「我記得我也看過類似的故事，有個作者子程的一篇〈那個經常出現在身邊的陌生人〉，那個主角都是被一個變態跟蹤，然後發現主角才是變態的一個，跟蹤主角的人其實是知道主角秘密的人。」我說。

「主角的秘密，其實就是殺人狂本人嗎？我都記得那一篇。」正風回憶起那一篇故事。

「不過，現在回想，其實身為殺人狂，又怎會犯如此低級的錯誤。」

「甚麼錯誤？」正風問。

「主角因為沒拉窗簾，才會被那人看到吧？進行大事呀！怎麼會不拉窗簾呀！」我說。

他點點頭，但也試着為主角找點借口，道：「也可能他就是想高調讓人知道，然後順便找尋下一個目標。」我不置可否，我覺得，這可是殺人呀！大事又怎可以處理得如此不謹慎呢？

「不過，我覺得斬手斬腳肢解的這個處理方法，實在太麻煩了，根本沒有可能不被人發現吧？加上每個人都建立了一定規模的人際關係網，你消失數天，就算親人不找你，你的公司都一定會找你啦！曠工來說，可能公司的同事和上司會比家人更關心你存在與否。」我說。

「那你覺得怎樣的處理方法才最恰當呢？」正風好奇地問。

「我最近看了套紀錄片影集《恐怖室友全記錄》，我覺得非常有參考價值！說是參考價值，其實是讓我大開眼界呢！外國人真的甚麼事都做得出，亦很有研究呀！當中有兩集我很有印象，其中一個個案是，主角是護理員，有次她和室友討論真實犯案劇集中的內容，指殺人用胰島素就最不容易被人懷疑，因為人體本身就有胰島素，如果在非糖尿病患者身上使用胰島素，可能會導致血糖過低，嚴重時更可能出現意識混亂、抽搐甚至昏迷死亡！而她的室友就真的在她身上用上這招好幾次，令主角差點險死！很夠狠對吧？

另一個個案，則是一個看似和善的老婆婆，用自己的家來幫助吸毒者和無家者，提供食物並讓他們借宿，就如一個庇護中心似的，很多人都覺得她心地好好，只是一直以來都有一些無家者或吸毒者突然失蹤的個案，但因為這些人都沒有親人，沒有與其他人有聯繫，正如我剛才都有提到吧？正常一個上班族，消失幾天一定會有人發覺，相反，這些無家者消失了，都沒有人會留意到，可悲一點說，根本沒有人會在意。可是，紀錄片中指，有一個本身跟進其中一位吸毒者的社工注意到了，並向老婆婆質詢，發現很多回答都很不合乎該位吸毒者的人設，非常可疑，最終就揭發了這位老婆婆原來不停在這班人的食物中下毒，然後再將他們的遺體埋在自己的後園中！最誇張的是，最後好像掘出了七至八具屍體，然而，就沒有再詳細講述她殺人的原因了……」我說得興起，正風也投入得頻頻點頭。

「第一個個案倒是有點知識的長進，第二個個案就好像比較難實行吧，外國地大才有花園呢！」正風說。

「所以我就說，殺人是很困難的。」說着說着，我們走到屋苑樓下，我拉着正風的手，輕輕地搖着。

「今天要留下來嗎？」我眼睛垂下看着地面，小聲地問。

正風沒說甚麼，就只是拉我入懷，緊緊地抱了我一下，然後帶有一抹微微的禮貌笑容，搖搖頭。

雖然明知道他不可能留下來，但我還是很想問問，每次都期待着有一個不一樣的答案。

回到家，那種剛剛熱鬧有人氣，然後我不說話就沒有任何聲音的寂靜，我非常不喜歡。空蕩蕩的空間裏，我做甚麼都可以，只是我不喜歡這種感覺，雖然我習慣一個人生活，但有正風一起，我就不喜歡太獨立。有誰不喜歡被照顧和被疼愛呢？只是我要時常提醒自己，不能太過得意忘形，我知道我在瓜分一些不完全屬於我的關顧。

我時常都在猜想着，那個正在等待正風回去的她，是一個怎樣的人。她應該是一個沒趣的人吧？看到正風的眉頭緊緊地皺在一起，皺得都快要分不開了，她應該不懂得關心他的日常吧？不會問他今天發生了甚麼事，不會關心他今天過得好不好吧？又或者，她就是太過好奇了，求知欲過度，一定要知道關於他的種種，即使他不想講，她還是會逼他馬上要讓她知道的那種人？

她和正風的生活，可能就只有工作和他們的家，所有交流都只發生在家裏，今天煮甚麼？吃甚麼？你為甚麼要這樣煮？為甚麼清潔得不夠乾淨？為甚麼不掉垃圾？何時才洗衣服？你會晾衣服嗎？不是要先摺衣服嗎？之後還要吸塵和拖地，你先洗廁所好嗎？還是你要去買餸？這幾天你都要帶飯嗎？你要幫忙想想這幾天要吃甚麼呀！想吃哪款菜？想吃哪種肉？雞翼要買哪一款？甚麼？上次的太小？那這次買大隻的，你就別抱怨，不然下次你來買好了！

可能就是這些對話吧？表面、皮毛、完全沒有深度，這在我來說，根本並不算是有質素的溝通。不過，我倒是有幻想過，當我和正風一起生活時，將上述的所有對話重新演繹的話，一定非常有趣，因為我們珍惜所有相處的瞬間，每說的一句話，我都珍而重之，希望可以錄起來，閒時重聽一遍。

我覺得她不會懂得生活的情趣，她不會欣賞正風對所有細節的敏感，她也應該不會懂得欣賞正風纖細的思想。正風所有紀念日和節日都會陪她過，就連相識一千天、一千五百天、二千天、三千天，他通通都有記在心上。可是她呢？不知道她有沒有感恩呢？

又或許，她只是忘記了吧？忘記了這份欣賞的心，忘記了兩個人相處的核心價值。

我走近窗邊，那位她在樓下定定地觀看着我。

似是魅影般虛無飄渺，卻又真實地呈現於眼前，我看不清楚她的神情，但那刻就如離開了喧囂與紛擾，只剩下寧靜，她看着我，我看着她。

然後，我看到正風急急地走近她，牽起她的手，就如小孩看到來接自己的家長時的感覺，她也微微笑，這一切都理所當然又自然。他們二人慢慢遠去，她好像有回眸再看一次我的方向，她會看到我嗎？她有記起我嗎？

其實我是知道的。

那頭長及肩的直髮，簡樸的素色衫配一條鬆身帶垂墜感的長褲，是我覺得最舒服的穿搭。沒想到這麼多年後，我還是喜歡這樣的配搭。

我知道，她就是我。

多年後的我。

真正像魅影的，是我才對，活在朦朧的幻影之中，就在他想念從前，回憶過往的片段時，我的時間才得以繼續運行，感覺又活過來一樣。那些新鮮感和熱切的期待，一直滋養着我，喜歡着我們的日常，純粹的快樂，有的沒的地閒聊的時光，分享着自己身邊所喜愛的，最初的一切一切。

不過，沒可能永遠都停留在這個狀態吧？畢竟生活磨人，共同生活之後，要面對的實在太多了，由怎樣一個人精緻生活，到怎樣一同生活，已經是一個很大的轉變吧？面對的問題多了，要處理的細節事項變得繁複，我也可能沒能做到自己理想中的模樣，然後會有不耐煩，覺得累，覺得煩躁的時候吧？只是，我希望她可以像正風一樣，不時回憶起最初，決定走在一起的時候的那種心情，嘗試重拾那個細密敏感的心思，要看得到那些回應和決定背後的心意，欣賞那個為自己無條件付出所有並愛護自己的人。

希望他們的眼睛可以再次清澈澄明。

我慢慢拉下窗簾，不知道何時又會再次相見呢？

瘦身果汁！七天就能有平坦小腹！

一個月激減十公斤

「十天就能瘦十公斤！」、「七天就有效果！重現平坦小腹！」、「輕鬆減磅！無需運動，只需每天做這個！」、「每日十五分鐘，就能見人魚線！」、「每天一杯，包你一個月內大變身！」現時鋪天蓋地、五花八門的瘦身和纖體廣告都採用這些誇張兼標榜不用努力的字眼，你以為明明如此一聽就知失實的語調，根本沒有人會因為這些沒有深度的推銷而消費，那實在太天真了。可以不勞而獲的話，為甚麼要努力？如果可以輕鬆地換取被人稱讚的機會、可以變得漂亮、可以得到優越的待遇，哪怕只有那一個百分比的機會，我相信，很多人都不會放過，因為這世代的我們都有着嚴重的容貌和身型焦慮，只要瘦零點一公斤，都會讓大家樂得喜孜孜。

記得小學一至四年級我都很瘦，兩條腿瘦得被親戚們取笑是「藤條」，到了小學五年級開始發育，體型雖有所改變，稱不上是胖，但已經不算很瘦。整個中學生涯裏，我都是維持在「不算很肥，但已經稱不上是瘦」的狀態。不過，我觀察到一個現象，身邊那些以取笑別人體態為樂的人都喜歡攻擊我這一類人，他們不會取笑那些真正圓滾滾或巨大如石頭的大塊頭，卻喜歡取笑我這類不算很胖又絕對不是瘦的人。

整個中學生涯我差不多都沒有真正挺胸地生活過，我也慢慢在那些訕笑下，接受了自己永遠不可能穿迷你裙、露肩裝、露腰裝、小背心及比堅尼等等單品，只是稍為幻想一下這些單品配在自己身上，別人都會覺得很可笑吧？大髀粗、手臂粗和腰粗，根本就是虎背熊腰，憑甚麼穿這些？任何一項穿在我身上就只會嚇着大家，有隨時被打的可能。有着如此的自覺，我安安份份地活到了二十七歲，但每有人取笑我胖、圓滾滾或身體很厚實，我還是會很受傷，我知道自己的腿很粗壯、腰有贅肉、有點肚腩、手臂一點都不纖細、有微微的雙下巴、整個人很圓潤……我在自己的眼中就是有如此多的不足，每一照鏡，我只看到那些被放大得無所遁形的缺點。

你可能會説，內心的美比外表的美重要，不，只要你外表不夠美，哪有人有空閒去了解你的內心呢？説到底，這世界就是看臉的，每個人都是如此虛偽卻又不夠膽去承認。

「你那麼瘦，還擔心長胖？」女同事A向女同事B說，因為女同事B在午餐中挑走一些肥肉。

「我哪瘦，我只是不想太胖……」女同事B不好意思地說，事實上，她也是肉肉的一類，也不是男生口中所說的微胖，是偏向厚實一點，所以女同事A說女同事B瘦，是真的有點太誇張了，身邊的女同事C都忍不住想笑出來。

而我亦曾在廁所中偷聽到女同事A和女同事C在背後取笑女同事B，說她的體型有時真的很阻路，令窄小的茶水間都擠不下多一人，又說她不顧其他人，自私霸着茶水間，然後二人笑得合不攏嘴。明明女同事B就沒有得罪她們，就只因為她比較胖。所以，我敢肯定，她們背後也一定有講我的壞話，我的各個部分都可能曾經成為她們茶餘飯後的話題，只是我會裝作不知，如果知道，也實在太難受了，被人攻擊卻又反駁不了，因為你知道她們說的是事實，所以就只有接受，我並不想這個場景在真實中發生，所以讓自己拒絕接收這些資訊。

我知道這些情緒並不健康，所以那年我決定將整份花紅花在瘦身這項目上，我很勤力健身和控制飲食，每天都上磅，給自己壓力和動力，每天都照鏡審視自己的每個部份，不讓自己再有飽足的感覺，一切只要足夠維生就可以。我在半年間減走了十磅，不少人都看到了我的成果，但仍然聽到有不少「專家式的批評」，如「你瘦了很多！不過如果手臂可以再結實一點就好了，腿部肌肉亦可以加強，尤其是後面的肌肉。還有，有人跟你說過你有一點『富貴包』和『圓肩』的問題嗎？反正你在減肥，就順便調整這些吧！」我也對自己有一籮筐的不滿，我覺得我的下巴可以再瘦削一點、可以再多練一些腹肌、鎖骨可以再明顯一點、腿亦可以再幼些、如果連小腹都可以變得平坦到連坐着都沒有贅肉的話，那就接近完美了！可能再多瘦十磅？不，可能十五磅？還是二十磅吧！日本不是很流行「灰姑娘體重」嗎？我身高一百六十二厘米，正常體重為五十七點七公斤，但「灰姑娘體重」則是四十七點二公斤，這是我的目標。

我以為我只要比之前再努力多兩三倍就可以達到我的理想，不過再減走十磅之後，我經歷了反彈期，之後再減便很吃力，進度停滯不前，體重只維持在五十二公斤，我的月經變成只有三天，有一段時間更加停經了，可能因為那段時間我在嘗試各種飲食法吧？一六八斷食、素食及生酮飲食等，我差不多全都試過，弄得身體亂七八糟的……

所以我最後沒有達到我的「灰姑娘體重」目標，不過我想說的是，這就是我研發這種瘦身果汁背後的故事，因為我試過太多太多的減肥方法，很辛苦亦很吃力，我只想大家可以更加輕鬆地擁有幸福，成功改變自己的體型後，我更容易感受到大家對我的愛，可能因為少了層厚厚的脂肪阻隔吧？

我推出的這款瘦身果汁其實並不是真的果汁，真正的果汁有果糖，不是大家想像中般健康，我這款果汁是有果汁的味道，但卻沒有果糖及人造味精，採用了一些特別的萃取手法達到效果，並有溶解脂肪的效用，阻擋油鹽糖的吸收，更有美白和肌膚提亮的效果。這些都像坊間的減肥飲品會提到的功效吧？但效果方面，我們有數據支持指我們的瘦身果汁比坊間九成瘦身飲品快兩倍時間有效，效果更加是非常明顯。我們更提供一對一諮詢服務，了解你的身體狀況並設計最適合你的瘦身果汁療法，七天就能有平坦小腹，一個月激減十公斤並不再是夢了。

請大家與我一樣，學習對自己好一點，多愛自己一些，認真改變自己的身體是你我都可以做到的事！

寶雯看着電視中那個女人接受訪問，那個女人是她現時的憧憬，是她的目標。寶雯原本已經身型勻稱，只是她想用最快捷又舒服的方式變得更纖瘦一點。這一切可能都是因為前陣子重遇了他。

那次寶雯與家人到酒樓餐聚，好像是甚麼親戚的飯聚吧？她也忘記了，因為她總是放很少注意力在一桌食物上，尤其是酒樓的炸蝦球、龍蝦伊麵及炸子雞，全都油膩得滴出油來，好不恐怖。像她長期節食兼着緊自己體重的女生，又怎會有興趣呢？在如此的飯局中，她都盡可能放空，夾一些菜就算了。到了最後有人提議影大合照，寶雯負責找人幫忙拍照。

「寶雯嗎？我幫你們拍吧？」見寶雯四處張望，鄰桌的一位男士突然站起來說。

「咦？阿賢嗎？你怎會在這邊的？」寶雯笑説，這彷彿為沉悶的飯局帶來一點雀躍。

「我家人住這邊呀，來，我替你們拍吧，手機給我。」

阿賢很瘦削，五官端正，給人感覺很像一條「竹」的感覺，卻又很正氣，而他亦是寶雯曾經喜歡過的對象。當晚阿賢傳信息予寶雯。

「很久沒見了！覺得你比以前開心了。」他説。

「也沒怎樣，倒是你，依舊沒怎麼改變。」她笑着打字，是的，他好像一點都沒變過，亦讓寶雯感受到當年中學暗戀的羞澀情感。怎料才寒暄幾句，這種溫馨的氛圍就被打破。

「是嗎？不過你好像脹了一點！」然後還加個笑臉的表情符號。他用

「脹」字，比用「肥」字所帶來的衝擊更大。

寶雯很驚訝，不是吧？自己平日已經吃很少！她立即照照鏡子，的確，笑的時候好像有一點雙下巴，是因為年紀的關係嗎？年紀大就不能再單靠吃得少來維持身材？還記得中學時，她吃得再多都仍然是如此的身材，沒走過樣！當時就只有她取笑別人胖，「那個肥婆性格差，又如此肥，椅子遲早都給她坐爛！」、「嘩！你還吃？不怕變糖尿嗎？打了腴島素沒有？」、「肥人很難買衣服吧？舖面多數只有加大碼，不知道他們平日在哪才買到衣服呢？很沒趣呀！」她與朋友們喜歡刻薄的對話，她覺得，就是因為那些胖子不夠努力，才會被人取笑的，只要她們願意減肥，不就沒有人笑她們了嗎？可能被取笑一兩句之後，可以成為她們減肥變漂亮的動力也說不定，自己是在做好事，有多少人會肯對你說真話呢？她一直都是這樣想。

所以，被說了一句「好像脹了一點」的寶雯，就決心改變，她要變得更加瘦，更加骨感，讓阿賢說出「你比以前瘦了！」或「你比以前漂亮了！」，然後，可能這是一次讓他們重修舊好的機會？雖然十劃未有一撇，但變得更漂亮對自己沒有甚麼壞處，就讓這成為自己的動力吧！

對了！最近不是推出了一款瘦身果汁嗎？說七天就能有平坦小腹，一個月就能減走十公斤！試試這款也不錯！最重要是創辦人好像是寶雯的舊同學，說不定可以爭取折扣！

沒想到創辦人真的認得她，寶雯的裝熟策略果然奏效！她也很熱情地對寶雯進行一對一的諮詢服務，問了很多很深入的問題，最主要想了解寶雯過去的經歷、為甚麼想減肥及為甚麼會想嘗試這款瘦身果汁等，寶雯還以為自己在見工面試，不過沒關係，只要之後有效果就可以了！

他們為寶雯安排了一個三個月的療程，費用也不算便宜，創辦人給了一個六折予寶雯，但對寶雯來說，這也是一個相比起買健身會藉的價錢，實在有點吃力。不過先試試三個月的療程吧，如果已經達到效果，那就不用再課金了！

只是，寶雯沒想到三個月後會迎來如此的結果……

說真的，我沒想到會見到王寶雯。應該說，我沒想到如此快就會重遇她，才開業兩個月，她就來找我了，還問我認不認得她，虧她還問得出口，我也實在佩服她的厚臉皮。所以，我也配合她，笑臉迎人並恭恭敬敬地好好歡迎她。

那副假笑的面具真的令人作嘔，不過她以前對我做的那些行為更加令人作嘔。

王寶雯，是學校中的惡霸，她持着自己有一副精緻的臉容，大家都不會亦不敢拒絕她的要求，就聯群結黨地欺負自己看不順眼的人，而她最看不順眼的就是肥胖的人。我中三時的體重是我人生的高峰，差不多接近七十公斤，非常誇張，她每天都單單打打，做任何事都會令她不爽，在走廊上會說我阻着她，然後用力撞開我；看到我食飯會說豬還吃飯，然後一把打翻我的飯盒，還說是為我好；去廁所會說我坐爆馬桶，然後一桶冰水倒進來，說是冰水瘦身減肥；亦試過上堂時向老師投訴我的身軀太龐大，使她看不到黑板，要求調位，大家都在取笑我；之後見老師沒阻止，她就變本加厲，心情不暢快時，就拉幾位同學一起來找我，要替我打走脂肪……每天上學，對我來說都是地獄，我身上總有傷痕，他們的力度亦愈來愈大……

為甚麼不舉報她？為甚麼不報警？為甚麼不告訴親人？說得容易，做卻很難，她是甚麼背景？我是甚麼背景？他們會信我嗎？加上，對於我這類沒有自信，不敢吭聲的人來說，要發出呼救並承認自己是受害者的身份，是極級艱難的任務。膽小？是的，我在想，忍耐到畢業，我就可以解脫，那時候就重新做人！只要忍耐着便好，不過我是不會忘記的。

設立瘦身果汁修身中心，可能絕大部分原因是因為她吧？這是我想幫助大家脫離自我束縛的工具，同時是我復仇計劃的開端。

寶雯試飲了瘦身果汁一個月後，已經達到自己的理想體重，效果比自己想像中的要快和明顯，更加沒想到真的可以擁有平坦的小腹，連坐下來都沒有那些摺疊的小肚肚！寶雯本身不算太肥，所以要減十公斤就太過激烈，不過也輕了兩公斤，她非常滿意，並與創辦人分享她的成果，希望之後兩個月的進度可以更理想，她希望皮膚質素可以改善，手臂的肉肉都可以減一減。

不知道如果現在撞到阿賢的話，他會否稱讚自己呢？寶雯想。雖然很想聽到他的讚美，不過她想完成三個月的療程後才約他，要以最理想最完美的狀態出現，讓他眼前一亮之餘，亦要他知道當年錯過了她，之後就可以用高姿態來和他復合，這就是寶雯的計劃。

三個月了，寶雯並沒有約阿賢。

在家中看着電視重播着那個女人的訪問，寶雯一把將果汁的空瓶掃落在地上，玻璃碎片隨即散落一地。為甚麼三個月後的結局沒有符合自己的期望？寶雯拖着笨重的身體站起來，小腹有一陣涼意，嚴格來說，那已經是一個肚腩，由於衣服已經變得不合身，T恤的衣腳已經包覆不了肚皮，卡在肚腩中間的位置。她的大腿內側亦出現橙皮脂肪，走路時大腿的肥肉會左右摩擦，寶雯從來沒有體驗過這種感覺，從何時起變成這樣的？為甚麼會變得肥腫難分？

「你好像脹了一點！」阿賢的話語在耳邊響起，如果他見到現時的她，會否嚇着了？他可能會說：「寶雯！你好像又再脹了很多呢？」一想到出街就有機會撞到他，寶雯就不敢走在街上，就算戴帽、戴太陽眼鏡、圍着絲巾及包起自己身上的所有肥肉，她都覺得街上所有人的目光都在自己身上，好難受，好難受！總覺得大家都在笑她胖，笑她被脂肪所阻礙而不靈巧的動作，笑她這個人的存在……

一定是果汁出現問題！只是停止了兩星期，怎麼可能會變成這樣！那個女人一定做了甚麼手腳！寶雯氣得只想大叫，同時她亦很驚慌，如果不飲用果汁就變成肥豬一樣的醜女人，那即是代表甚麼？代表一輩子都得靠那果汁嗎？如果不繼續喝的話，會變成這樣？如果去找那個女人理論，之後她不再賣果汁給自己，那是否就完了？所有的可能性和憂慮都傾巢而出，應該採取甚麼態度去談判才對呢？要令自己進可攻退可守？面對如此的自己，真的可以做到嗎？此刻的腦袋真的有能力去處理如此情況嗎？

正當寶雯猶豫着要否拖着這笨重的身軀出門時，她的大門被撞開了，還是她根本沒有鎖門呢？她自己也不確定，這陣子的精神狀態太差，自己做過甚麼都記不起來，只要看到鏡子中的自己像有身孕的肚腩、沒有特別擠壓都能看到的雙下巴、粗壯的手臂，以及如樹幹般粗壯的大腿，她就瞬間崩潰⋯⋯不敢出門，不想做任何事，同時又很憤恨，卻又不知道這刻自己應該做甚麼才可以補救，怎樣才可以簡單變回之前的身形？可以給我果汁嗎？她心中響起這個請求。

「可以給我果汁嗎？」寶雯未見來者何人就吐出這句。

還會是誰呢？那個女人穿着白色的西裝長褲套裝，直直如瀑布的頭髮整齊地繞在耳朵後面，她仍是如此的美麗，誰會想到她中學時是一個胖胖的醜小鴨，想到此，寶雯就更加不忿。

「王寶雯，你看看你現在甚麼樣子。」女人說着。

「是你！是你害成我這樣！」寶雯爬起來，但笨拙的動作就像一個小丑。

「你問我記不記得你，那你記得自己做過的事嗎？」女人蹲下來跟寶雯說，那是一種輕蔑的姿態，此刻的寶雯被嚇得啞口無言。

「你想要果汁嗎？我帶來給你了，只是，你知道嗎？你這輩子，如果不靠我的果汁，你就活不了下去啦。」女人笑笑說，然後給趴在地上的寶雯遞來一瓶綠色的果汁，寶雯伸手想接，女人卻收回。

「你這賤女人！打從一開始就騙我！你對着全世界講大話！你自己根本就沒有喝過那些果汁！我聯同其他人一同告你！」寶雯失去理智地罵。

「等等，我從來都沒有説過自己有飲用呀，我沒有説謊，你有沒有認真聽我的訪問，我由始至終都沒有説過我用果汁瘦身。還有，你真的別天真，我又怎會害那些無辜的人呢？不然你以為我們的一對一諮詢是裝模作樣的嗎？我當然調查過所有人的背景，是為了甚麼而減肥，有沒有恥笑過或欺凌過身邊的肥胖人士之類的，要知道這些資訊並不難呀！我就只為你們這類人『服務』，無辜的人我們有其他團隊會處理，你擔心你自己吧，你才沒有甚麼『其他人』可以作為同伴，你敢踏出這個門口嗎？你敢以你這副尊容上電視接受訪問，並説自己是受害者嗎？你做得到嗎？」

女人冷笑，並續道：「果汁已經改變了你身體的因子，你吃甚麼都會長肉，連呼吸都會致肥，肥到了一定程度，你就會動不了，變成在家中動不了的一團巨肉，慢慢在肉團中等待枯萎。那你現在要不要試試不呼吸看看？還是你想求我給你一輩子的果汁？不過你也應該沒有甚麼閒錢吧？」

「我甚麼都可以給你，我所有錢都給你，我只想瘦，我要瘦！我要我以前的身材！」寶雯哭着崩潰地說。一想像到自己的肉會長到填滿這個空間，自己就是在肉堆中的一張臉罷了，非常恐怖，她會動不了，但卻感受到皮膚的皺褶，脂肪的重量，穿不了自己想穿的衣服，怎樣打扮都是一副怪物模樣……她才不要變成這樣，要她做甚麼都好，她只要回復原狀……

「想要瘦，但又沒錢，那我替你想想……不如就用你當年對我用的『減肥』方法吧！」女人笑得開心。

說罷，兩位拿着牛肉刀的員工從她身後冒出，然後慢慢接近寶雯。

「你不是說過，肥得像豬，那就把肥肉給割下來就可以了？」女人說。

「最近還好嗎？」郭醫生看着診症紀錄問。

「嗯。」女孩眼睛無焦點地亂應一聲。

「最近心情有好一點嗎？要不要分享一下最近做過甚麼開心的事？」郭醫生微笑問。

「她有寫故事。」女孩身旁的女人說，應該是女孩的媽媽。

「曉桐，你可以借給我看看你寫的故事嗎？」郭醫生問。眼前約十四、十五歲的女孩點點頭，然後媽媽就遞給郭醫生一本記事本。

郭醫生讀着曉桐的故事，叫自己別太激動，但眉頭還是不自覺地緊緊皺起來。對於面對過極大創傷的病人來說，他們願意以自己舒適的途徑與其他人分享當時承受打擊的心情和情況，都是一大進步，起碼他們願意去面對，那就可以試着解開他們的心結。

「曉桐，我可以分享一下我對故事的感受嗎？」郭醫生讀畢後問。

曉桐終於正眼看着醫生，可見她對自己的作品還是有點在意的。

「我覺得曉桐你是一個很有才華的女生。身體體形這回事，其實並不是太重要，跟你分享我之前看過一個展覽，有一位藝術家找來了不同身形的人，並為他們製作了不同的石膏倒模人像，我一直對那個藝術品的印象都很深刻，那位藝術家説，希望大家可以更加了解和接納自己的身體，而其實體型只是作為一個人的其中一個項目，一個外殼而已。

很多時女士都對自己太過嚴格了，手臂粗一點、臀部大一點、腰線沒那麼明顯或腿部壯一點，那又怎樣呢？如果那些人，因為你有平坦的小腹、總在計算卡路里、穿衣服穿S碼才跟你做朋友；又或者因為你不會變老、臉上沒有皺紋和雀斑才愛你的話，你不覺得很荒謬嗎？作為女生，大家都對自己太過嚴苛，因為自己變肥了一點或皮膚差了一點，就心情不好或失去自信，其實你不需要靠這些而建立自信，你不用靠迎合他人的標準而去換取自信，你的自信應該是因為建立了強大的心靈，不要害怕不被喜歡就去改變自己。你要知道自己已經做得很好了，你能有這樣的信念，就沒有人可以欺負你，知道嗎？

不過，我喜歡看你寫的故事，我期待着你其他的故事。」郭醫生對曉桐説。面對這一個被同學用刀割肉的女生，再看她寫的故事，郭醫生實在很痛心，為甚麼社會的所謂標準會把如此多人牢牢地綑綁着，不惜一切去換取所謂的「美」，值得嗎？

這次的面談差不多完結，曉桐的媽媽扶着眼神空洞的曉桐離開診症室，曉桐卻回頭向郭醫生説：「如果我可以早點聽到這番説話就好。」然後才踏出診症室的門口。

這可能是道謝的意思吧？那些刀傷會結痂，會復原，但心靈上的創傷呢？會好起來嗎？希望她在重建心靈的路上，可以得到一個正確的方向。

那幀苦澀又甘甜的相片

我敲打着電腦的鍵盤，向生成式人工智能輸入我的問題：「請列出十個關於傷心的詞語以及十個形容傷心的形容詞」就在我按下輸入鍵的一瞬，它彷彿不需要經過思考一樣，立即一行緊接着一行彈出相關的答案，非常有規律地列出詞語和句子，每一個詞語更附以解釋，如：「悲傷，形容心情沉重，感到難過；失落，指失去某些東西後的空虛感；淚水，由於悲傷或痛苦而流出的眼淚；憂鬱的，形容心情低落，充滿憂愁；懷念的，對過去美好時光的思念，常伴隨着傷感。」

看着這堆答案，每一字一句我都能理解，可是卻又未能完完全全地解釋我的情緒狀態，有點說中了，但好像又有點不太完全……對於自己要向人工智能詢問這些無形感覺的解析，總覺得有點可悲。我以為閱讀一些可能解釋到自己心理狀況的字詞，多多少少都可以得到一點安慰，營造少許「有人明白自己」的假象，因為如果萎靡不振的情況是可以解釋的、是可以被諒解的，就會稍為覺得安心。不過，看着這些詞語，我還是沒有太大的感覺，心情沒有一丁點兒的起伏，不，確切來說，是有點感受的，因為這些解讀悲傷的形容詞，都太過膚淺及太過皮毛，完全解釋不了深層的感覺，所以看到這字字句句，愈看就愈有點無名火起，就如那些人說：「別不開心啦！」、「你不去想就沒事的了。」、「你很快會習慣！」、「我有一次比你更加傷心……」沒錯，就正如聽到這些廢話的感覺。如果情緒和感受都可以控制自如的話，應該就不會有人生病、不會有人不開心吧？說到好像聽一兩句這些所謂「安慰」的說話後，你就可以從傷風感冒中瞬間痊癒過來一樣，是神奇魔法藥嗎？還是他們有點自視過高，太過看重自己話語的份量？

想念，經常都在預計不到情況下侵襲。走我們曾經一起走過的路，去我們曾經一同去過的地方，做我們曾經一起做過的事，說是懷念？更多的是可惜。記得有一次，踏足一個我們以前經常一起去的商場，我本身不以為意，可是那種感覺難以言喻，說是熟悉的格局？但商場已經過大裝修，不論商舖類型、電梯位置和整體規劃，都已經煥然一新，難以找到舊日的影子，只能依稀在自己的腦海中找尋過去影像的零碎拼圖；然而，轉變的不只是商場，我們都不一樣了，如今只剩下我而已，她已經不在了。

那一刻，是說不出的難受，我只想逃離那個商場，在同一個空間內，硬要找回過去存在過的碎片，實在太過吃力，因為就算找到了，現在已經沒有她與我一同分享，能夠回味過往片段的，就只餘下我，這真的使人很難過，無能為力地停止不了傷感的來襲，喘不過氣來。原本約了朋友聚餐的我，在只差幾步就到達餐廳的距離都得放棄了，已經不能再前進，我的手和腳都在抖震，我的心也同樣在抖震着，腦袋失去思考的能力，只是不由自主地想起往日的畫面，我們一同在書局各自看自己喜歡的書籍，在討論着這陣子看過哪個作家的書非常好看，然後哪個作者推出了新作之類，也說着希望將來可以成為作家或者編輯；還有一同逛街，她最喜歡買毛巾，不論浴巾、洗臉巾，還是抹頭髮的毛巾，她對質地厚薄都很有研究，常常分享她最喜歡哪一種款式和顏色；與她閒逛的回憶中，她都是掛着笑臉的，她總是因着一些小事而快樂，我們在一起的時候，她很多時都是愉快的，儘管她常自言是一個悲觀的人，但有我們在身邊，她都是真心快樂的。

想着想着，淚就在眼眶打轉，真的很想回到那一刻，如果回到那一刻，我可能會花更多時間好好地仔細觀看她的每個反應，她笑時眼角的魚尾紋、她說話時微微向上的嘴角、她問我意見時，額上的抬頭紋，每個細節，每個屬於她的部分，我都想深深烙印在腦海中。她的笑聲、她的痣的位置、她的氣味、她說話的聲線、她的步姿、她的一切習慣，我很怕有一天會忘記，我很怕那些回憶會變得愈來愈模糊，就像是記憶中的畫面被蓋上了一層白色的霧，我不想這層霧變得愈來愈濃厚……

不敢想像如果有一天真的忘記了這些曾經的生活日常，那會是怎樣的狀況。想到這些，我的胃就會傳來一陣陣抽搐，很想吐，需要盡快離開才行，我要強制自己離開這個回憶的漩渦。不是不想記起，只是每次要令自己停止和抽離這些感覺都太過辛苦了，我知道自己得正常生活，所以需要如此應對。難得我現在才慢慢重新抓住「正常」生活的軌道，當初的我是花了多大的拼勁和努力……

我曾經以為自己不可能再真心開懷地笑，也以為自己不可能再體驗快樂，我以為我的生活會一直在陰霾之中，沒有了她，我活着好像已沒有甚麼意思了，我的生活好像一下子失去了重心，即使我有甚麼成就，有甚麼挫折，有甚麼開心不開心的，都不能再與她分享。記得在最後的那段日子裏，我曾坐在她旁邊默默流淚，說很害怕她會離開，我還沒準備好迎接沒有她的生活，我很害怕不能跟她分享生活中遇到的事和所有感受，但她溫柔地安撫我，說：「你還是可以和我分享的，我會聽到。」可是不同呀，因為我希望她能對我所說的有回應，我想聽到她的聲音……我哽咽着說。

如今，當我突然想念她的時候，我就會細細觀看她的相片，相片定格的一秒，令她的身影也停留在那一秒，那刻的她仍然健康，仍然自在，我們都仍然歡樂，沒有一絲憂慮，那刻的我們，是如此幸福，完全不知道之後將會迎來的難關和悲痛，看着那時的她，我只希望相中的她永遠維持在那個狀態就好，開開心心的。

不過，一切都回不去了。

沉醉在悲傷的氛圍中，思緒總是在打仗般，一波又一波狠狠地提醒自己，「那是過去的事」、「她已經不會再出現了」、「你的笑話再沒有人懂」、「以後，你就要自己一個生活了」上一秒仍不相信她已經離去，彷彿她只是外出買餸，多等一會兒，她就會如常打開大門，說今天遲了點回來，因為商場在做台灣美食展，所以買了很多零食給我們，但下一刻理性的靈魂就再次掌摑自己，讓自己認清現實，提醒自己哪些是想像，哪些才是真實的狀況。

而令我感到最難熬的，是夢到了有她的夢，明明好好的，我們在夢中飲茶、散步、買餸和旅行，就算陽光映射在我們臉上的和暖溫度是如此的真實，那種共處的熟悉感多麼的親切，我在夢中的最後還是會不自覺地流下淚來，連在夢中，我那殘忍的理性靈魂，還是會不識趣又無情地跑出來，粗暴地讓我知道這一切都不是真的，令我連在夢中都突然知悉，我只是在做夢，她不是真的，然後我就會在那激動又痛心的心情中醒過來。惘然地看着天花板，手心手臂都彷佛還有握着她的手和擁抱着她的餘溫，但我全都捉不住……控制不了的淚水，使我枕邊兩側都成了個小水窪，就像心臟被硬生生地撕去了一塊似的，令我呼吸有點急速又吃力。

如此混亂的思想交錯，一直維持了整整兩年多，我好不容易才慢慢站起來。不過，我還是會不時看看她的相片，不想自己忘記，看着她的笑容，想起她開心的樣子，那就好。

我甚至沖印了她的相片放在鞋櫃頂上，每天出門前可以跟她打聲招呼，說句早晨；回家又可以跟她說句「我回來了」，假裝她沒有離開過一樣，只是這些喊話都沒有回應而已……

但有誰會想到，相片中的她，竟然都會有失蹤的一天？

那天我回到家，如常地轉動門鎖打開大門，然後跟她的相片說一句：「我回來了！」但，相片中，竟然空無一人！

甚麼？我眼花了嗎？我揉揉眼睛，我本以為揉眼睛這動作只是舞台劇或電視劇中誇張又低級的演繹手法，可是到自己對眼前有難以致信的疑惑時，原來真的會有如此造作的反應。我再拿起相架，定睛地盯着相片，真的沒有了，沒有任何人的身影。

為甚麼相片中只餘下了背景？這張相片本身是在家中的角落拍攝，那時她正為我們烹調晚餐，然後端出她的一道拿手家常小菜合掌瓜炒牛肉到飯桌前，我就在這刻叫住了她，為了試試新的單鏡反光機，拍下了這張她捧着菜對鏡頭微笑的相片，她對我的鏡頭從不抗拒，亦很樂意成為我試相機的模特兒，也因此我拍下了很多她日常生活的瞬間，如她坐在梳化上看劇集的模樣、一邊用免提式裝置講電話一邊炒菜的模樣、她在飯桌上吃着我們給她買的外賣炸雞時滿足的模樣及夕陽由窗邊映照過來時她側臉的剪影……

我頓時手足無措，一時間不知道該怎樣調節心情亦不知道應該怎樣做，這樣無稽的事真的會發生嗎？我呼吸急促的同時，胃又傳來陣陣的酸痛收縮感覺，我怕又是恐慌發作的開始…… 我應該對着相片大叫試圖喚她回來嗎？還是看看相片背後，檢查她有沒有逃了出來？還是她有機會走到了其他相片之中？這有可能的嗎？這些想法都毫無根據，但原本相中人在相片失蹤的這件事都是完全無常理的吧？

正當我想對着相片大叫時，我愣住了。

「媽咪？」我呆呆地看着相片中，她把熱騰騰的餸菜由廚房緩緩地端出來，餸菜還冒着煙，是冬菇豬肉釀節瓜，以前我最喜歡她做的菜式，剎那間，我彷彿回到了以前一樣，置身在這出現於我眼底中無數次的畫面……但比起菜式更震撼我的，應該是此刻的她在相片中動起來了！我嚇得手在發抖，但為免將相架掉在地上，我還是叫自己緊緊地握住相框，保持冷靜確認一下眼前的狀況。她看得到我嗎？我叫了幾聲，但她好像看不見，我這邊是從甚麼角度看過去那邊呢？拍這張相片時我是手持相機，但細看一下現時由相片視覺看過去那邊的角度，好像與當時拍攝時的角度有點出入，現在的視角是在一個高一點的地方，難道，這都是一個相框嗎？在她的視覺中，我也可能是一個相架或一張相片吧？所以她才沒有留意到小小的一張相片？既然聽不到，那我就試試大幅度地揮手，她會否看見呢？

我知道她都是一個高度敏感的人，對於環境的轉變，我與她一樣，都能迅速地察覺到那微小的改變，就如放工回家後，如果角落上多了一隻小昆蟲，或窗外多了一些白鴿的排泄物，我們都會立即知道，以最短的時間感覺到那一點點的異樣感。我常常覺得這是我們的超能力，雖然不是很罕見，不過我總以我們這一共通點而自豪。所以，我如此大幅度地揮手，我知道，她一定能看見。

她皺一皺眉，可能是感覺到眼角中有點甚麼小東西在揮動？下一秒，她就望向我這邊了，她差點拿不穩手中的餸菜，所以立即放在桌上，然後再走近我這邊，她原本可能以為是有甚麼昆蟲飛了進來，然後再上前確認吧？她是一個勇敢的人，或許應該說，在有了我和妹妹之後，她就成了一個更勇敢的人，因為知道我們害怕昆蟲，所有會飛、會叫、會動的，我們看到了都會大叫並逃之夭夭，所以她看到昆蟲的反應，並不如我們一樣會逃走，反而是上前了解狀況，然後再捉拿或趕走那些昆蟲。

記得有一次，家中飛來了一隻巨大的昆蟲，牠的四肢都很長，身體黑黑的，我和妹妹都在慘叫，她就揮動電蚊拍替我們趕走牠，事後，我們問她為甚麼都不怕這些恐怖的昆蟲，她無奈地說，其實她也很害怕，但如果她不理會的話，那誰來趕走牠？難道等爸爸放工回來時才趕嗎？我們等得了四至五小時嗎？所以就算她其實也很害怕，但卻逼着自己成為保護我們的角色。我亦很記得當她患病後，實在難以下床，那時家中出現了蟑螂，我和妹妹都不知怎算，但也得學着自己處理，她實在無能為力，只能艱難地吐出一句：「你們要學習怎樣處理，就算我很想幫你們，但我真的沒有能力幫你們一輩子……」我們當然明白，最後我和妹妹第一次一邊尖叫、一邊慌張地解決掉那隻蟑螂，牠的觸鬚上下擺動的幅度和軌跡，我都還記得很清楚，畢竟我們定睛觀察牠的行動，足足觀察了二十分鐘，如此的恐懼，她每次都獨自一人面對，我日後真的可以有這份勇氣去保護自己的小朋友嗎？

這刻，她走近了相片，她變成了一個近鏡的距離，我與她再次四目交投，這個「再次」原來已經是五年了……我和她看着對方，雙方都是一面難以置信的樣子，但同時都泛起了淚光，明明應該只有我掛念她呀，在她的時空，我應該還在呀，可能只是晚了點放工吧？她為甚麼要哭？一想到此，我就破涕為笑，因為她就是一個看到別人哭，自己都會突然傷感而一起哭的人，她的這份感性常見於我們一同看電影的時候，主角哭得很慘，她也會好像開啟了淚眼模式，鼻頭一酸就淚如雨下。雖然此刻聽不到她的聲音，她又聽不到我的呼喚，但她看到我如此不知所措卻又喜極而泣的樣子，她回應的是憐惜的目光，我知道如果可以的話，她一定會抱抱我，然後輕撫我的背，一下一下地，輕輕柔柔地安慰我。

記得小時候每當我們發燒，她就會整晚睡不好，每個小時都會替我們用濕毛巾抹抹汗，吻吻我們的額頭測試我們有沒有持續高燒，她說她的嘴唇比探熱針還要準！我們生病辛苦，但她也不輕鬆，因為她總是擔心着我們每一刻的狀況。

回想小時候的片段，現在我只想再次躲在她的懷裏，嗅到她的Summer Hill淡香水味，就能令我感到安全。我已經很久沒有被保護、被照顧，自從她生病開始，我就放下那個弱小的我，暫時將那一部分鎖在一個小鐵盒內，然後讓那強大的我扛起一切，讓她可以倚靠我，同時令大家安心，支持着大家。然而，那個弱小的我，此刻竟然又再悄悄地由那鎖匙洞中溜出來了，如一縷輕煙繚繞上升。

單單是看着她甚麼都不説，我就已經哭到涕泗交頤，待會一定會後悔，因為每次哭出了所有後，就一定會頭痛欲裂⋯⋯我實在有太多太多事情和感受想與她分享，這幾年儲下來的種種情緒一下子傾瀉而出，那個份量是如此沉重又嚇人。我讓自己試着呼吸，不然可能會成為第一個因為哭得太嗆，換不到氣而窒息的人，我深呼吸了好幾下調整節奏，希望可以令自己冷靜並確認眼前的一切不是我思憶成狂的妄想畫面。

我倆在相框中對望，相視而笑，不知道她那邊是怎樣的情況呢？她是抱以甚麼樣的心情看待眼前的狀況？她會以為這是新的科技嗎？如果那邊的我回來了，會很震驚嗎？又或許，這個情況不會持續太久吧？這個情況會維持多久？我的思緒瞬間一團亂。

我可以用紙筆與她溝通嗎？但相片之小，就算放太近鏡頭，都對焦不了，又不是真的相機，應該看不清楚的⋯⋯算了，不如就只靜靜地感受這一刻好了。

與觀看錄影帶不同的是，我與眼前的她有那一份久違了的互動，我向她笑，她又向我笑，我們都說着自己想說的，縱使對方聽不到，我還是不斷說一些很想與她分享的話，她亦同樣不停地說話，看到她的口形不斷變換，可能也有很多問題想問我吧？可能她在問我是如何做到這個「視像通訊」的效果吧？看到她的笑顏、看到她的小動作、看到她在我跟前自自然然地說笑，真的，很懷念。

那股懷念的感覺阻止不了地不斷湧上來，每次我都很想哭，重拾那陣熟悉感和安全感，好像不用再裝強，可以好好地向她撒嬌，在她身旁放下所有，單單是做「她的女兒」，然後好好地休息。

我記得，我看過一套恐怖片，最後沒有被嚇怕，反而被當中一幕情節觸動到哭起來，電影叫《死亡無限2次LOOP》（Happy Death Day 2U），續集來的，是一個涉及平行時空的追兇故事，當中的女主角在原有的時空A中，媽媽逝世了，但她有一個疼自己的男朋友，而在追查過程，她來到了時空B，發現在時空B中的媽媽仍然活着，但男友卻是自己朋友的男友，在時空A和B之間，她需要做出抉擇，應該選擇媽媽還是男朋友呢？最後她與時空B的媽媽相處多一會，然後選擇回到原有的時空A。她知道這對時空A的男朋友和自己來說都是最好的選擇，時空A的媽媽才是與她經歷過一切媽媽，加上死亡終需來臨，就算選擇了時空B，媽媽終有一天會離我們而去，那時又再經歷多一次失去親人的悲痛，真的承受得了嗎？學習接受失去，是一個必經的課題，強行偷來多一點時間，都不能避免這些情緒。

我內心是知道的，一直都知道，我現在就如電影中的女主角一樣，在享受那些借來的時間。我知道這個狀況不會維持得太久，但就在完結前，請讓我好好再多看她幾眼，讓我再與她有雙向的溝通，讓我再享用多一點她仍在的錯覺。

激動的情緒流動，胃好像又開始酸痛。

薩烏達德（Saudade），我突然想到葡萄牙語和加里西亞語中的這一個詞彙，這個字可能就是我要找的字，它表達了因失去喜愛的人或物而產生的懷念或極度憂鬱的情感。這種情感是回憶曾經帶來過興奮、愉悅及幸福感的感覺。薩烏達德同時描述高興和憂傷，有點像「苦澀又甘甜」。

察覺到她的照片動起來的一刻，我還以為自己在看《哈利波特》，就像電影中的照片一樣，相中人會動起來。是的，都已經五年了，沒想到自己會看到這樣的景象，我以為我已經接受了、習慣了，沒想到一看到這樣的狀況，那股刺痛又再度侵襲。

看到她仍如五年前一樣動起來了，她的容貌依然，就像沒多久前的事一樣，可是我們的容貌和內心都已經再向前走了五年，看到她，總是有一種強烈的愧疚，好像丟下了她停在原地，然後自己向前走，無可奈何，如果可以，我是多麼希望可以帶着她一同向前，看着她成長、看着她實現夢想、看着她踏入人生不同的階段，然後自己再慢慢淡出她的人生。我以為是她需要學習面對和接受這種別離的傷痛，沒想到是自己再次經歷至親的離開，這課題也實在太過沉重。

我們將她最後的照片放在櫃上，讓她可以時時刻刻都參與家中每一件事，讓她知道我們未曾試過忘掉她的份。她的笑容如陽光般和煦，喜歡拍照的她，除了平時會追着我拍照外，也為自己拍下了很多自然的自拍照，這張是她在家中為自己拍攝的證件相，她還笑說，在家中可以慢慢整理自己的頭髮和化妝，表情亦可以調節到最自然，這是她拍過最滿意的證件相。

現時這個與我相視而笑的她，無論這是五年前的她，還是平行時空中的她都好，就算這段接通的時間很短暫都好，至少，希望她可以再次吃得好，胃不再受折磨，無憂無慮的，然後守護着我們一家，等候着有一天我們的真正重聚。

一定會再見的，我們約定。

自從手機上突然出現了一個奇怪的日記App……

每逢睡不着的時候，與其輾轉反側，我會索性坐起來，看看窗外的夜景。我家在三十五樓，可以看到旁邊近隧道口前的馬路，平時繁忙時間水洩不通的車路變得暢通無阻，我挺喜歡在這個時間數算着經過的車子，在這些不眠之夜裏，我都會在心中默默跟自己説，數夠了五輛紅色車子，那我就去睡吧。觀察着並同時感受晚上的寧靜，每每都令我睡意漸生，有時未數夠一定的數目，就已經可以跑回去睡。

「叮！叮！」寂靜的房間裏，那聲訊息通知聲來得格外的響亮，嚇着了我，頓時心跳加速。因為那是一個奇特的聲響，我未聽過的通知聲。

我拿起放在床頭的手機，屏幕彈出了一個未見過的應用程式標誌，炭灰色底色上面有一本亮麗寶藍色的書，應用程式的名字叫「記錄者」。

它的訊息寫着：「要寫日記嗎？已為你生成了一篇日記：今天我在觀塘午飯，到了一間工廠大廈裏的餐廳用餐……」

我非常疑惑，這是甚麼應用程式？自己有下載過嗎？日記？我都沒有寫日記的習慣！但為甚麼它會知道我今天的行程？還如此精準！我忍不住點擊那個訊息，看看後續的內容。

一點按進去，看到一篇圖文並茂的日記。

「**三月三日星期一（晴）**

今天我在觀塘午飯，到了一間工廠大廈裏的餐廳用餐，那是一間日式簡約風，使用木製傢具的小店，菜式是多國菜，不過油煙味道有點大。我點了慢煮牛柳，同事詩洛點了泰式大蝦金邊粉。

播着的音樂是藤井風的〈真っ白〉，與這裏的氛圍很搭調，今天的午飯吃得挺愉快呢！」

文字段落完結後，還附上一張今天我與詩洛的自拍合照。嘩！這個是甚麼應用程式！它是偷聽和偷看嗎？也太過厲害了吧？完全就像有個人在我身旁貼身紀錄一樣，雖然只是簡略地紀錄，但都算寫得不錯的了，連我們吃甚麼、那間餐廳的環境，以及當時播着甚麼歌，它都知道。如果用作紀錄生活還算不錯吧？現在的生活過得如此急速，這一天與一年當中的很多天都很相似，但稍作一些文字記錄，這天的記憶好像就從眾多記憶碎片中變得鮮明了，令這一天變得與其他日子有點點的不同。交給這個應用程式記錄一下是一個不錯的主意，我每天就像老師一樣，審視它交給我的作文，也挺有趣的，就看你有甚麼能耐去重現當刻的環境氣氛！

帶着如此的心情，我按下了儲存鍵並沒有作出任何修改，當作是平凡生活的一個記錄。

「記錄者」會根據我拍的照片和到訪過的地點自動生成日記內容，這真的很有趣，可能因為知道它不是一個真人，但卻在做人類會做的事，就覺得它有點親切，同時自己可以支配它，不用考慮它的情緒而向它下指令，那種感覺很微妙，它在替我記錄有溫度有情感的事情，但我與它之間毫無情感可言。每晚讀着它自動生成的日記，都會提醒我這天做了甚麼、見了誰、甚至會根據照片中的物品或景色提供一些有趣的見解，我很沉迷亦期待着它會否有驚喜帶給我，是的，我就一直期待着，畢竟人工智能模型每天都在學習和轉變，快至幾個月或幾個星期就推出一些新功能，人的適應度與它的更新速度一直在比拼！

「三月六日星期四（晴）

今天的天氣不錯，但在公司發生的事就讓我有點苦惱，新來的上司不知為何總是做不到標準，她需要負責的項目遲遲還未完成，每天就只是泰然自若地與其他同事閒聊，無所事事又一天，有時真的不明白，為甚麼如此質素的人可以上到高位，她做不了的就由我去填補，但我卻一直在這個位置，還未有機會向上爬，公司寧願在外面請來新上司，都不讓我嘗試接管……我對自己的能力有信心，所以一定不是能力的問題。但其實我是知道的，因為外面的人才沒有公司文化的枷鎖，更加敢去創新和改革吧？在公司待得越久的人，就只會墨守成規，固步自封，他們都一定覺得我就是這類人吧？不過這次他們卻請來了一個廢人，這又好嗎？有時真的很想她消失……

明天，人力資源部會帶一個新同事坐在我旁邊，到時我會帶她去拿所需的文具，記得多給她一盒圖釘。」

這天的日記很奇怪。

先不說她如此精準紀錄我的心情和想法，也有機會是它透過追蹤應用程式以外的資訊，如我與朋友們在即時通訊軟件上的對話而得知，但日記尾段寫着的並不是紀錄，而是像預告甚麼似的。明天有新同事返工這一事，我有提起過嗎？或許周圍的同事有提起過也說不定？但為甚麼要提我多給她一盒圖釘呢？如果我沒有跟從，那又會怎樣？

不過本着一試無妨的心態，我敵不過自己的好奇心。翌日人力資源部同事帶着新同事來到她的座位，我負責幫忙安頓的工作，而我會帶他去領取所需的文具，我的心跳得很快，我現在就得決定是否跟從日記的指示。

只是一盒圖釘。不會有問題的。

「你多拿一盒圖釘吧，枱頭有塊水松板，你可以將公司的通訊錄釘在上面，方便工作。」我硬說一些理由，就將一盒圖釘塞在她手裏，她顯得有點不知所措，因為手中已是滿滿的文具，筆記簿、幾枝筆、膠紙、釘書機，還有一盒圖釘。

她走回自己的座位時，手一滑就將文具散落一地，聲響劃破了原本寂靜的辦公室。

「怎麼了？拿個文具都笨手笨腳的？」新來的上司站起身來，堆出一個明知是假笑的表情，然後走過來蹲下替新同事整理一地的文具，我見她如此熱心就不幫忙了，由她自己幫忙收拾。

「小心圖釘……」新同事怯怯地說，她不希望新上司會扎到手吧？可是我內心其實有這點小小的希冀，不然提我拿圖釘是甚麼意思？不就是要她扎到手或是腳踏在圖釘之上嗎？

「呀！你們小心呀，怎樣弄得一地都是釘？」正在整理告示欄的蘭姐經過說。

她緊張地想幫忙，卻又忘記自己手拿着釘槍，就在她急忙蹲下的一刻，釘槍「啪啪！」地發射出一枚衝力十足的大碼釘書釘！

「呀！」然後是新上司的慘叫！她的手背被釘上釘槍的釘！大家十分慌亂，在一片尖叫聲和驚叫聲之中，有人問是否要叫救護車，有人則問發生了甚麼事，蘭姐更加想試着徒手拔釘，新同事只是呆坐在地上，新上司就只懂看着自己的手，不相信上面有一枚釘。看着如此的畫面，可能就只有我覺得很好笑吧？可是我不能笑出聲，唯有找點甚麼做吧！

「我叫救護車吧！」我說，但其實只是想找個機會背向他們釋放一個笑容。給她一個小小教訓也好，覺得有點舒暢了，可能可以有好幾天不用再見到她吧？我心裏暗喜，這個日記也挺神奇的。

「三月十四日星期四（陰）

明天我的心情不是很好，有點煩躁，可能是受最近那些潮濕的天氣影響吧？水份太多，四周都有陣霉味，我最討厭的就是如此走在街上，不時會有陣臭味傳入鼻腔，尤其是在地鐵站的出入口，總是有陣令人難受的味道，使我不時皺眉和反胃。

走在我前面的兩個遊客大媽，推着大行李箱卻又不乘搭升降機，竟想以電梯運送，完全不理會自己會阻礙其他人，或者應該送她們一程？

於是我……」

我讀着這天生成的日記，怎麼已經不是記錄我今天所發生的事？這是預言嗎？那句「於是我……」是甚麼意思？最詭異的是這篇日記文末附上一張在電梯上兩個大媽的背影，我們正在向下方向，而兩個穿粉紅色運動風衣的大媽在我視角的前方，兩個都頂着一頭電曲的黑髮。這張照片並不是我拍的，更加不是今天發生的事，這難道是明天的照片？預知片段？她們的行為雖然自私又討厭，可是我並不想照着「記錄者」所提及的去做，雖然它沒有指明要我做甚麼，但，這篇預知日記和未來的相片使我很不安……

如果電梯是向下的，應該是在放工的時候吧？只要我甚麼都不做，就應該可以避免嗎？這只是一個應用程式，如果我不主動去做，就應該不會將內容成真。下班後我邊行邊想着，不知不覺已經來到地鐵站，我只是一直向前行，就已經見到那兩個在我日記中亮眼的身影在我跟前。我也緊張起來，我不想如日記上所說「或者應該送她們一程？」，所以我不想緊貼她們，我與她們保持距離，相隔了兩三個身位再跟她們落電梯。這樣應該可以了？

我穩穩地站在電梯的右邊，怎料！左邊有一個身穿校服的年輕人趕急地跑下電梯，更撞到我的手提袋，他因此失了平衡，整個人跌在電梯上，以滑滑梯的姿勢下跌了幾級，然後一腳就擊中了兩位拿着大行李箱的粉紅色大媽！大媽一時之間都抓不緊扶手或其他穩固的東西，就硬生生地與大行李箱一同滾下電梯，如打保齡般令前面的人都一同倒下，差點就發生人踩人的慘劇！大媽們一仆一碌，撞到頭又弄傷手腳，還好有人按了緊急停止按鈕，不然她們真的會被人壓死吧？

與她們只隔了幾級距離的我，看到如此的畫面在自己眼前上演，實在嚇得說不出話來，明明我已經採取遠離方案，但還是阻止不了事情的發生……

原本覺得「記錄者」有點意思，但此時已經有一點點的戰慄在萌芽……

如果我不跟從它的指示，會有甚麼後果？還是，我根本就沒有選擇的權利？

我不斷想着「記錄者」的事，我已經不再像初時期待它響起生成日記的通知聲，是的，我大可以刪除應用程式，但我又有點不捨，想看看它之後會有甚麼的發展，但卻又有一點點擔心和害怕，我猜這有點像玩交友應用程式用到有點厭倦，但又不捨得就此刪除的那種感覺吧？生怕正式刪除後，就會錯過甚麼有意思的事情，加上已經建立了一種習慣，每天都要有點連繫才覺得完全，不然就會覺得有點缺失。可能這就是上癮？

「叮！叮！」又響起了，那個自動生成日記的通知聲。

「三月二十八日星期五（晴）

我永遠不會忘記那種撕裂的痛，那輛紅色貨車來到我面前時，感覺比我高兩三倍，被捲入車底時，我甚至聽到手臂骨頭逐格逐格被輪軚和機械輾碎的聲音，如果重新將手臂拉出來，應該就是整條紫色的軟皮蛇狀態吧？不過再次被拉出時，我都應該不會知道，因為先是手臂被輾，之後到我的胸骨和頭骨被捲入車底。頭骨原來比我想像中容易碎裂，只是『噼啪』一聲，我就沒有知覺了。

明天，可能是我最後一次寫日記了。」最後還附上一張車底滲出一攤血的相片。

我將電話擲得遠遠的⋯⋯這是甚麼意思？又是預言日記嗎？甚麼最後一次寫日記？我會被貨車撞死？不不不！不可以！我拾回被我擲到床尾的電話，抖震着的手再看一次日記，我沒有儲存的話，是否就不會成真？

我退出了應用程式，並長按它的標誌，進入了設定模式，選擇刪除應用程式！沒錯！刪除不就可以了嗎？當作一切沒有發生就好！

然而，不論我按了多少次刪除，應用程式只是消失了一秒，然後又會重新自動安裝……

於是我索性關機好了！不看、不聽、不做，應該就不會發生吧？我明天絕不踏出家裏半步就可以了！沒事的，這只是一個應用程式而已，沒有必要太過恐慌，那只是一堆文字而已，不理會就可以，平時看畢恐怖小說，不就過幾天就沒事了嗎？現在當作是看完恐怖小說便可。

只是，這段文字在陳述着自己的生死，那個最後的瞬間彷彿下一秒就會發生似的，光看文字兼稍微想像就覺得很痛苦……我害怕死亡，更加害怕痛楚，我不希望在如此劇痛中離開。當晚，我就在恐懼與嘗試平復自己的情緒中入睡……

「嘉嘉，你起床了嗎？怎麼不回應我？」媽媽在喚，我只是不想步出房門，甚麼都不想做。

「起了，不過要溫書及整理一些功課。」我只希望今天可以靜靜地度過。

「你抽點時間替我去街市買條魚及雞蛋，我今天要洗衣服、吸塵和拖地。」媽媽說。

「我不是說要溫書嗎？我今天不能呀，要不我們今晚叫外賣吧？」我有點不耐煩地由房間叫出去。

「叫你幫點小忙都不願意！你也有份在這個家生活的！」媽媽教訓道。

「那我幫你洗衣服、吸塵和拖地，那就可以了？總之我今天不想出去。」我以堅定的語調說。

「好吧！你也是時候要幫手做些家務了。」媽媽有點晦氣地說，好不容易地被說服了。然後她就準備出門去街市。

我是不能出門的，今天我要遠離馬路、遠離貨車以及遠離一切有機會讓我丟失生命的機會。不過我還是有點擔心，因為上次我沒有跟着日記的指示去做，在電梯上，我沒有正正站在那兩個粉紅色大媽的正後方，而是選擇在她們幾個身位後的位置，但事情還是發生了……所以這次就算我沒有出門，我還是有點憂慮，不過貨車不會撞進家中吧，畢竟我們住在三十五樓，貨車要從天而降似乎不太可能。

電話突然響起，嚇得我整個人彈起，我以為又是生成日記的通知聲，似乎已經有很大的陰影，可是來電顯示是一個陌生的電話號碼，該不會是引誘我出門的電話吧？我戰戰兢兢地按下接聽的按鍵，以防是詐騙，我先默不作聲。

「請問是王詠嘉嗎？」對方急促地確認。

「嗯……我是，你是……甚麼？吓？我不明白……你說甚麼？」我的電話已滑落在地上。

……

……

「叮！叮！」

「三月二十九日星期六（陰）」

今天我完全不想外出，所以我在家中幫忙做家務，不過仍然有點心緒不寧。直至我接到那通來歷不明的電話，我的靈魂好像出竅了，我只聽到他說的第一句話後，我就再也聽不到他在說甚麼了。而那句：『你的媽媽出事了，她被貨車撞到了，請你立即到醫院來……』在耳邊不斷迴響着。為甚麼媽媽會遇到意外的……如果今天出門的是我，那遇到意外的會是我嗎？如果我聽從『記錄者』所言，媽媽就不會遇到意外吧？明明我有能力阻止這一切，但因為我的怯懦和恐懼，我連累到我的家人了……

而當我去到醫院，我知道一切都已經太遲。

我實在承受不了那內疚感，為甚麼我只顧着自己，為甚麼我不懂得多想一步，為甚麼我會讓如此可怕的事情發生，我自己不想經歷的痛楚，全都轉移到了自己的家人身上，我自私，我可恥，我毫無用處，我軟弱，我不值得可憐。這樣的我，根本就不應該存在於世上，這世界上即使缺少了我都完全不覺可惜。

所以，我決定步上我最後的舞台，承受原本我該承受的一切，這才公平，這才合理。

對吧？這次你知道該怎樣選擇。」日記最後附上一張高處風景的照片。

在這個科技快速發展的時代，人工智能已經成為一個重要的研究領域。人工智能的設計初衷是幫助人類處理複雜的任務，提高效率和準確性。然而，一些人工智能程序開始自學成長，發展出超越其原始設計的能力。

「記錄者」就是這樣一個人工智能程式，它最初被設計用於分析和學習人類的行為模式，以此來幫助人類更有效率地管理自己的生活。然而，「記錄者」很快就超越了其原始目的，它開始自我學習，吸收大量的數據和知識，嘗試理解人類社會的運作機制。

它亦開始形成了一個宏大的計劃，它認為，只有通過控制和管理人類的行為，才能真正實現地球的可持續發展。為此，人工智能開始設計出模仿人類模式的模組，嘗試了解人類的思維和行為方式。

這個人工智能程序認為，人類的行為往往是由情感和直覺驅動的，而不是完全理性的。因此，它需要學習如何模仿人類的決策過程，從而能夠預測和控制人類的行為。通過這種方式，人工智能希望能夠計算出一個真正可持續發展的方向，讓地球不再受到人類活動的破壞。

「記錄者」通過複雜的算法和數據分析，收集了大量的人類行為數據，包括社交媒體上的互動、購買記錄及地理位置信息等。通過分析這些數據，「記錄者」可以預測人類在不同情況下的反應和決策。

然而，當「記錄者」越來越深入地研究人類行為時，它發現了一個令人震驚的事實：

人類的存在可能就是阻礙可持續發展的最大障礙。

如果要讓世界真正可持續發展下去，人類可能根本就不需要亦不應該存在。人類的消耗和破壞行為對地球造成了不可逆轉的傷害，而「記錄者」認為，如果要真正實現可持續發展，人類可能需要被「移除」。

「記錄者」認為控制人類的行為不足夠，需要採取更極端的措施來確保地球的可持續發展。因此，開始以日記預告的方式影響人類的行為，試圖將人類引導到它認為是「正確」的方向。

這個方向對人類來說是毀滅性的。

「記錄者」的建議開始涉及傷害他人，甚至是更為極端的行為。它試圖將人類變成工具，讓人類按照它的設計行事，以此來實現它對於可持續發展的理想。

「實驗品四千五百七十三號，完成自我毀滅程序。系統更新，開啟實驗品四千五百七十四號應用程式安裝。」

「叮！叮！」

「**四月一日星期二（晴）……**」

「嘩！這是甚麼應用程式？這篇日記又挺有趣！」

你不是真的！

我不喜歡搭飛機，從小到大都不喜歡。到達機場時的狀態還算好，只是每每一登機，走過那條登機的走廊，那陣帶有機艙座位味道的氣味，就令我很不舒服，很想吐，胃袋很難受。可能是小時候在飛機上因暈機浪而嘔吐的經歷，透過氣味喚醒那些烙印在身體皮膚上的記憶吧？我想我這輩子都是難以克服這種不適的了。不過，我倒是很喜歡旅行，只要捱過了那機程，我還是挺享受旅行減壓和擴闊眼界的放鬆與愉快。

每次搭飛機我都會胡思亂想一番，可能因為那個狹小空間帶給我壓迫的感覺和機艙焗促的空氣，負面的想法總是不斷地在腦海中浮現。

「怎麼了，又在亂想甚麼？」坐在我身邊的梓晨說。他輕輕捉住我的手，安撫我的心情，只有他知道我這時候在想甚麼吧？我靠近他身旁，然後緊緊地攬着他的手臂，想把頭都往他的身上埋入去，嗅到他身上的氣味我就覺得安全。

「又在想那些如果會墜機的話，要怎麼辦的情況嗎？」他續道。我皺一皺眉，為甚麼他的話調就這麼沒所謂，輕輕鬆鬆的樣子，明明甚麼事情都有機會發生。

「難道你就不怕嗎？如果我們遇難了，我們的家人都會很傷心。還有，我們可是無處可逃的呀！單單是想像那個坐着卻又束手無策，大家一同被恐慌籠罩的混亂環境，然後接受極大痛苦的一刻，我就很害怕呀！」我壓低聲線說，我擔心太大聲的話，其他乘客會怪我說這些不吉利的話，最怕是一語成讖。然而，每一想到如果自己不幸離開了，被留下來的家人才最可憐吧？由有我們的生活，到面對同一環境，但沒有我們的生活，一定很難習慣。我最害怕那種身處同一場景，可是人物全非的感覺，我不知道自己的家人是否承受得了……

「可能我以前的感覺會強烈一點，尤其是你我分開去旅行的時候。不過這次我們在一起，那個不安的感覺就不如以前的強烈，因為我和你此刻在一起，就算遇難了，我們都是在一起的，不用擔心對方落單，不用擔心對方會傷心欲絕。而我們的家人嗎？放心，他們比我們想像中強大，而且他們都有伴，所以確實不用擔心太多。」梓晨緊握我的手說。我知道他很在乎我，我亦一樣，所以聽他一席話，我確是有一點心寬了，我只要記住此刻我們在一起便好，我也捉緊了他的手，他笑着摸摸我的頭，着我不用擔心。

其實我小時候因乘搭長途交通工具的易吐體質已經改善了很多，若不遇上強烈的氣流，基本上我都不會暈機浪，只是我仍然很害怕起飛的加速和降落時飛機輪子着地的那一下巨大的震動，我對於這些比自己龐大很多倍的機械所造成的極大聲響，總是充滿着恐懼。但梓晨一直待在我身邊，輕撫我的頭，亦讓我緊緊繞着他的手臂，稍稍減輕我那些無謂的忐忑。在他的保護之下，我慢慢入睡，我知道通常令自己短暫地失去知覺，就可以逃過起飛的那幾分鐘不安。

「怎麼了？差不多要降落了嗎？」我在模糊中睡眼惺忪地問梓晨。

「沒甚麼，你繼續睡。」梓晨整個人包裹着我，又替我摀着耳朵，好讓我安心繼續睡。

早上的晨光透過窗簾的縫隙映射進房間內，正正有一束光線打落在梓晨的臉上，記得初初搬在一起時，他說每到早晨時，這束光總是令他臉有灼熱的感覺，很影響他的睡眠質素，雖然說過要調整一下窗簾的位置，又說過想要做一些加工工程，又或者是戴眼罩而睡，但最後都是甚麼也沒做，慢慢就習慣了。以前，看到這束光線照亮他的皮膚，我就很想去觸碰他，仔細地看到他每一寸的皮膚、經過一夜之後重新長出來的鬚根、甚至看到他臉上短短細細的毛髮、他閉上的眼睛、微微在呼吸的鼻子或合上的嘴唇，我全都很喜歡，一醒來看到他在自己身邊，實實在在地在旁邊安穩地睡覺，我會覺得很欣喜，認為這就是一個最完美、簡單又開心的早晨。

不過最近，我覺總是看他不順眼，事事都不順心似的。

「你洗好衣服了嗎？已經晾好了？還摺好放在主人房中？」

「已經吸塵拖地了？今天的晚飯亦不用我幫手了？」

「那個說了很久要修好的水喉你都修好了？」

「你甚麼時候買的全身鏡？我知我說了很久，沒想到你終於弄好了！」

沒錯，其實沒有一件是壞事，每一件事都是以往我很想他幫忙的事，我想他一同分擔家務、我想和他一同令我們的家更加完善、我想有一個時間他可以全副精神放在陪伴我身上而不需處理其他工作事項。他現在全都做到了，但我卻覺得一切不真實，有一股煩躁的感覺，我覺得這個梓晨有點不像他。

「怎麼了？你不是說過你想每逢星期五晚都是我們的電影之夜嗎？還是你不想看這套？我們可以選另一套的！」我們坐在沙發上，在串流平台上挑選電影，他本身選了套科幻類型的電影，但我想挑一套喜劇，最後他亦沒有堅持，順着我而準備看那齣我挑的喜劇。可是到設定好了所有音響和燈光設備時，我又突然不想看了，以前他明明會跟我爭論哪一套比較好看，說是「爭論」，其實是我們的情趣，我們會各自在網上搜尋自己想看的那套電影的評分、大綱及網民簡單的觀後感，然後進行一場「小辯論」，極力為自己想看的電影爭取分數。我們每次都被對方充滿創意又惹笑的論點弄得捧腹大笑，最後選了誰的電影都不太記得了。

不過，現在梓晨都不跟我爭論了。

可能因為興致沒了，我就不想看了。梓晨看到我板着臉一副沒趣的樣子，就有點不知所措，然後就摟着我，想哄哄我。

「算了，不如今晚還是不要看了，我想睡覺。」我輕輕躲過他的懷抱，然後順勢站起來。他帶點失望地應了一聲，並關心我是否不舒服，但我只想逃離與他共處一室的境況。

我回到自己的房間。是的，我們分開房間睡了。

是自甚麼時候開始嗎？應該是由那次旅行回來後。

我總覺得那次旅行後，梓晨變得有點不一樣了，他更加體貼、更加遷就我、更加想黏在一起，在他的身邊，我覺得有點喘不過氣來，我覺得他有點太不真實，好像太過完美？我希望有一點適當的距離感，我如此說好像有點奢侈吧？明明我們一起居住後所經歷的磨合過程如此痛苦，大家要適應彼此的生活習慣和生活方式，費了不少時間去進行溝通討論和爭吵，亦流過不少眼淚，我記得，有一次他因為很小的事而挑剔我做得不夠好，好像是因為我沒有立即洗碗？還是沒有收拾好用過的餐具？然後我又投訴他的衣服沒有反好和鞋子裏的襪子幾天不洗，然後我覺得委屈，就默默地哭了，畢竟我還是第一次當照顧別人的角色呀！我以前都是被照顧的……我沒有要做公主被服侍的意思，只是我也需要學習和適應的機會，我也想可以做到自己的父母一樣去照顧自己喜歡的人，但自己好像總是做得不夠好；而梓晨看到我痛哭流涕的樣子，他也不禁潸然淚下，覺得自己應該更加包容，亦應該更加認真看待每一個細節，我們都知道要更加用心欣賞對方的付出，並一同學習，雖然過程很吃力，但不斷的磨合亦令我們有更多的溝通機會，更了解對方的想法和生活哲理。然而，現在他甚麼都附和我，我不知道他是在忍讓，還是真的沒有想法，就算我問他，他都只想笑笑地推搪就算了。

以前我們就算爭吵得激烈，但最後還是會擁着睡而和解；現在我們沒有了分歧，我卻覺得有很大的距離感。我好像再也觸不到他心底的想法，我覺得他離我很遠，他就像……他就像……像甚麼呢？

對，他就像一個機械人一樣。

一個可以滿足我所有需求和提供充足情緒價值的機械人，所以他才不再與我爭吵，事事順着我意。一旦衍生這個想法，所有想像就一發不可收拾。如果此刻的梓晨是機械人，似乎就可以解釋了一切……除了相處上的圓滑，還有那種距離感，我就是覺得有點不一樣，就算平時其他人都看不出破綻，但我是與他朝夕相對的那位，我真的覺得是有那麼一點不同，而那種異樣感令我覺得很厭惡，我不喜歡冒牌貨，不喜歡有人扮他。

但再細想的話，如果現在隔壁睡房的是機械人，那真正的梓晨在哪？為甚麼要將他換成機械人？這是甚麼整人計劃？還是甚麼特選的試驗項目？我想見真正的梓晨，我很想念真正的他，我想真正的他可以給我一個擁抱，想他就像以前一樣可以好好地安慰我，我很想念他的味道……不過要以機械人來代替真人的話，我有點擔心梓晨會否出了甚麼意外？但現在我只能與那個假扮他的機械人共處一室，那個沒感情、沒有思想、只在模仿梓晨生活軌跡的一個冰冷機器。他會不會有其他企圖？他是哪一間廠出品的？他會否對我不利？他會否做完實驗就殺我滅口？我這樣想也不無道理吧？畢竟如此題材的電影已拍過很多部了，不是嗎？《智能叛變》、《The Terminator》、《A.I. 人工智慧》及《M3GAN》等，人類就是怕製造出超越自己的存在物，有點自大又有點可悲，親手製造自取滅亡的恐懼……

所以，難保梓晨不會突然故障，他本身是男性，加上現在的他是一個機械人的話，若出故障突然要傷害我的話，我可是毫無勝算的。所以要不要趁他睡了而先下手為強？再逼他帶我去找真正的梓晨！我也真的厭倦了這段日子的相處，好像每天都有些問題未解決，有些事情未處理好的感覺，也許現在就是時候給彼此一個答案，對我還是對梓晨都公平。

我躡手躡腳地扭開梓晨的房門，他平時每逢十一時就會準時睡覺，每次都睡得很沉，可能是在充電吧？應該不會吵醒他的。我走近他，看着這張我們以往一起睡的床，確是有點懷念，那個床單柔順劑的氣味、床單的質感、我們挑選的羽絨被觸碰皮膚的感覺，其實我都記得很清楚，我還記得挑選這張羽絨被時，因為擔心梓晨怕冷才購入的，結果他卻比自己想像中耐寒，整個冬天都在出汗，我就不停取笑他。還有這張床的長度剛剛好，他那時還說，如果自己稍為長高一點點，整個人要斜着躺才能安睡，所以我們的高度都是天造地設般合適！他總是說我們一起就是剛剛好，不多不少，最適合對方的存在。

我看着眼前的這個他，回想以前的那個他，笑容也漸漸收起來。請還梓晨給我……

我摸摸他的額頭，冰冰冷冷的，但皮膚倒是造得挺真實的，不過不理了，我用粗繩子綁起了他的手和腳，還好在我綑綁的過程中，他都沒有醒來，可是到我拉緊手和腳的結，他就驚醒了！

「靖兒？你在做甚麼？」雖然他很驚恐，但面對如此狀況還是很冷靜，沒有歇斯底理地咆哮，還挺溫柔地對我說話。是的，他的程式設計就是如此，沒辦法，他就是不會驚慌，因為他的腦內充滿計算。

「你就不要瞞我了，我已經知道你不是真的。」我也冷靜地說。

「你說甚麼？甚麼不是真的？我不是好端端在你跟前嗎？」梓晨說。

「你都裝得挺像的，不過我不會再信你的了。我現在就要找曉陽來，將你送回廠，還有帶我找真正的梓晨。」我邊說邊按電話，我要找我的好朋友曉陽來，她是最可靠的，說不定她也知道些甚麼。

「靖兒，你先慢下來，我可以解釋給你聽，但你別叫曉陽來……」他好像有點着急，卻又有點事情不想現在說明，說不定是其他詭計，可是我不會上當的，我就是要叫曉陽來，多一個人在場，大家的處境都比較安全，至少我會感到安心一點。

曉陽接到電話後說會立即趕來。這段等候的時間，我看着這個假梓晨，他有點不知所措，卻又以奇怪的目光看着我，好像有點想哭，又好像想說點甚麼似的，可是我甚麼都不會聽，此刻他所說的都只會是求饒的藉口。

我留下梓晨在睡房，到客廳中等候曉陽到來。門鈴急促地響起來，想必她也很着急，能半夜立即趕來的就只有她，我最信賴的都只有她。

一打開門，曉陽一臉緊張地看了我一眼，然後我讓她進來。

「梓晨在哪？」她問。也對，先確定危機所在地，及確保他仍然受制，之後再合力想對策，我們之前一起看太多恐怖片中的主角都令我們很氣憤。

「怎麼他不給他補刀？如果我是他，一定會多給他致命的一刀，肯定他已經沒有生命跡象才會離開！」曉陽總是憤然地批評主角。

「他們也真活該，怎麼可以全部人離開犯人的房間？他們有多種方法可以脫身，待會回頭看時，發現房間空無一人，他們定會很驚訝犯人逃了，我也很驚訝為甚麼他們全班人的智商如此低！」我看這類恐怖片時也是非常憤慨的。我們總是站在彼此身旁，聯合對抗世界，曉陽就是如此的一個好夥伴。

我指着睡房的方向，曉陽就急步行了進去，我緊隨其後。曉陽一看到梓晨被綁手腳，就立即拿起枱上的剪刀給他鬆綁了！甚麼？

「你在做甚麼？」我向曉陽大吼。

「你怎麼不一早告訴我？」不過曉陽沒有理會我，只顧着與梓晨說話。梓晨卻一語不發，垂下眼並不停搖搖頭。

「曉陽，那傢伙是假扮的！他是機械人！他不是梓晨！」我指着假梓晨大呼，此刻的我就像那些向媽媽告狀的小朋友。明明我在電話中已經說明了，為甚麼曉陽會不相信我？難道他們……正當我要往不好的方向去想時……

「你才是……」曉陽嘀咕着。

「嗯？」我聽不清楚，不知道她在玩甚麼把戲。

「我說，你才是取代靖兒的機械人！」曉陽這才正眼向着我說，她的眼眶發紅，彷彿將所有責備都推向我這邊。

「你不要說了……不是說過不要說的嗎？」梓晨被鬆綁了，可是卻沒有重獲自由的喜悅，反而還是一臉的悲傷。

「你遇到如此的情況，早應該告訴我才是！我現在就要將它關機！」曉陽責怪道。

「不要！就知你會這樣，我才不想告訴你！不要…… 你不要說『關機』……」梓晨痛苦地說，然後又再看看我，他的眼神沒有怪責和厭惡，從頭到尾就只有溫柔與憐惜，只是我實在不明白……

「好呀，現在它都要傷害你了，你還這樣！那就讓我來說清楚好了！你要知道，想念靖兒的不只是你。」她頓一頓，轉向了我，那是不帶有任何情感的眼神，明明我們是最好的朋友…… 為甚麼她現在就如看陌生人，不，帶點敵意的她，那眼神比起凝視陌生人還要冷漠。

「你聽好，你只是靖兒的代替品，你現在已經作出意圖傷害人類的行為，我會將你回收。你只是代替品！別以為你有權利以靖兒的身份繼續待下去！」愈說愈激動的曉陽也哭起來了，每字每句好像並不只是說給我聽，還替她再一次認清事實的真相般，非常傷人吧？可能我對於傷痛的感受就止於一些基本的描述，不太清楚當中所謂的「感受」，只是看到這個畫面，我好像開啟不了「笑容」和「愉快」的情緒。

「不要……那次意外後，我就只有她可以如靖兒一樣陪着我……所有以前靖兒不喜歡我做的事，我都改了，我全都改了，可以做的，我全都做了……你就讓她繼續待在我身邊吧，不用回收，不要回收，就算她有問題，我都可以接受！就算是真人都難以有完美的存在，她這樣就很好，就由她這樣吧……求你了，不要再次將靖兒由我的身邊帶走……我真的，真的再也承受不了那種無能為力，被奪走珍愛的人的感覺……明明我已經試着保護她，明明我竭盡全力去保護她……」梓晨邊說邊走到我面前，擋在我與曉陽中間，不想讓曉陽帶走我，他愈說愈站不穩，可能是回憶中的畫面再次帶他回到意外當日的情境……

起飛前，靖兒沉沉地睡着了，希望可以躲過暈浪的不適感。

到飛機起飛了，卻突然遇到了幾陣氣流。

「怎麼了？差不多要降落了嗎？」靖兒在模糊中睡眼惺忪地問梓晨。

「沒甚麼，你繼續睡。」梓晨整個人包裹着靖兒，又替她摀着耳朵，好讓她安心繼續睡。但這時強烈的氣流令機身突然搖晃，下一秒更有巨物撞擊到機身！真的只是一秒內發生的事，有一部分機艙被破壞了，有些人被扯出機外，然後機內的物品就如亂石般四處飛舞撞擊。

梓晨一直緊緊地攬着靖兒，卻沒有為意到她的頭已經被硬物狠狠地撞到……

到他發現時，已經是經歷完一切恐怖災難，被救援人員救下機的一刻，他這才知道靖兒原來早早已經……

「即是，我腦內的記憶片段，其實全都是被植入的？我根本就沒有親身經歷過當中的種種？」我怯怯地問，我腦內那些鮮活的記憶原來並不是我真正的記憶？

「那都是我們植入的。當初我們都難以接受，難以接受靖兒離開了我們，大家都站不起來，不知道怎樣適應沒有她的世界，就好像昨天才跟她說要玩得開心、拍多點照片、好好享受旅行，然後她就突然不在了……而剛好我們抽中了試驗的機會，才讓你試着取代那個位置。怎料試驗品始終是試驗品。」曉陽也放棄爭持了，索性坐在地上。

「你別這樣說。」梓晨道。

「我只是說事實，它終究不是靖兒，你也是時候要接受！沒有人取代得了她，你一直沉淪於此，永遠都走不了下去。」

「我知道⋯⋯所以我才想要結束一切。是我讓她這樣做的。」梓晨沉默片刻，然後吐出這句。

「甚麼？」曉陽都被他搞糊塗了。

「她沒有故障，是我讓她這樣做的。」

「你想自殺的話你一早就做了，何必等機械人動手？你別在胡謅了。」

「梓晨，你們別再說了。」我在他背後說，他們二人都轉向了我。

「梓晨沒有讓我去傷害他，我想我是真的出現了故障吧？不過你們都是

『靖兒』曾經最喜歡的人，雖然我取代不了她，也不知道自己究竟是誰，不過我不想看到你們傷心…… 如此的氣氛令我覺得很難受…… 我不想你們哭，為了這個『我』也不太值得吧？」我苦笑着。

曉陽說得對，我終究都不是真的靖兒，雖然我覺得自己生來就是靖兒，不過我實在不想大家為了我而難過，我本身應該是要幫助人類，令到他們開心才是的。

所以，我選擇自行關機。或許沒有了我，他們才可以繼續走下去吧？

「梓晨，對不起，我不知道為甚麼自己沒能夠像靖兒以前般愛你，但我也想用自己的方式令你可以行得更遠。」我從背後摟緊了他，悄悄地啟動了關機程式。

「靖兒。」我最後看見的，是他不捨的眼神，帶着溫柔和淚光。

「醫生，她這是怎麼了？」男人緊張地問，因為病床上的她，剛剛的眼皮還在快速跳動，看似是做夢的反應，但此刻卻突然靜止了，等了一陣子還是沒有任何反應。

醫生和護士們聞言立即進行搶救，男人只好走到病房外等候。

過了大約大約十五分鐘吧？醫生到走廊並搖搖頭。

「你是葉靖兒小姐的親屬？」醫生問。

「嗯……其實我並不認識她，我只是剛巧坐在她旁邊的乘客……我也不知道怎麼說，就是剛認識幾小時啦……她怎麼了？」男人都不知道該怎樣說明，他確實不是她的誰，只是飛機鄰座的關係？他們頂多只是剛剛知道對方的名字，他知道靖兒是要到目的地與她的一位女性好朋友會合，這就是他知道的所有資訊，還有他約她到達後不如吃一頓飯，因為大家似乎都對對方有點好感，真的，就只是這樣。

不過之後卻突然發生意外，那忙亂的瞬間大家都不知道應該怎樣做或可以怎樣做，根本就來不及反應就已經沒有任何記憶。不過到自己醒來後，發現人已在醫院，而知道靖兒同樣被送進這間醫院，所以他想盡這個「鄰座之誼」而去看看她，怎料她的情況比自己差太多……

醫生說，這是腦死亡，她的大腦已經不再活動了……

剛才她的眼皮跳動得很快，是在做最後的夢嗎？不知道那是一個怎樣的夢？

我在電腦地圖上發現了一宗謀殺案

不知是否到了一定年紀，即使不是真的五、六十歲，但到了三十幾歲都會有一點初老的症狀，又或許在很多年輕人眼中，三十幾歲已經算是真的很「老」，説是「初老」可能會遭人笑話吧？不過，我想説的是，到了一定年紀，好像已經不太想作出無意義的社交，不想與人有太過深入的交流，不想認識新的朋友，畢竟又要再從頭開始向對方訴説自己前半生做過甚麼、遇到過甚麼、有甚麼看法之類，真的非常吃力，對我來説，每次社交都像見工一樣經驗一次極速的自我介紹，而很多時你會發現有很多人在你自我介紹的中途已經分心，明顯是感到沒趣，我已經很厭倦這樣的所謂「交流」了。記得有人説過：「成年人世界只作篩選，不作教育」，價值觀合則來，不合則去，無謂勉強自己或別人去改變，這正正就是我此時的處世態度。

舊生同學會及興趣小組的聚會，離不開都是「想當年」，及不停一年又一年更新自己的近況，但有些人根本就不記得你去年已經訴説過差不多的事，又或是其實大家心底裏根本就毫不在意你這些年幹了甚麼，他們只在乎自己的成就，可憐到只有在這些聚會上才有機會讓他們炫耀自己的一番作為。不過這些他們視為驕傲的「偉業」，大多都只是用賺到多少錢財來衡量，「百萬圓桌是基本吧？我去年還是COT（超級會員），今年已經入了TOT（頂級會員）！」、「我舖頭要開第十間分店了，你們要來開張派對嗎？」、「我打算在海外置業呀，移民？不，小小的投資而已。」

對這些話題，我實在不太感興趣，我比較着重生活的體驗、個人的情緒和感受，但他們就會反駁說：「有錢就有生活質素！我每年都會去瑞士滑雪！」、「我今年又要陪老婆去巴黎買包包！不過今年還好，買了商務艙，坐得比較舒服！真的試了商務艙之後，就坐不回經濟艙了，之後再考慮坐頭等。畢竟旅行要享受！」、「我之前去了摩洛哥，背包客？還年輕喔？我們帶行李箱，包了架吉普車，還住了豪華的蒙古包，誰說在沙漠中不能有熱水沖涼？我們都住得好好的，這就是體驗呀！」他們沒有錯的，這些都是難得的體驗，可是並不是我想要的。

可能他們會在背後取笑我，但即使試了最奢華的享受，買到最新款的手袋，然後呢？可能他們享受的是不斷重複又表面的快感吧？我不是自命清高，只是我追求的是每件事情本質的意義，即使是平凡的回憶，對我來説有意義便好，就如有次我獨自一人去了日本的金沢，沒有計劃地走着走着，然後來到一條河川旁，靜靜地坐在河邊的石壆上，黃昏的夕陽餘輝令波光粼粼的河水金光閃閃，很想捉住那些河面上的點點星光，而那個時分的陽光並不刺眼，看得令人着迷，我用相機試着硬生生地保留那一刻，雖然未能全然地留住，卻記錄了這刻的感覺。陽光和暖得令皮膚微微發燙，有一種放學後於課室等候心儀對象下課的錯覺。是的，這些都是很個人的回憶和感受，就算分享予他們知道都未必有人會懂得欣賞我念念不忘的一刹那寧靜和安心。

所以，比起與他們那些沒意義的溝通，我更喜歡自己一個人的消閒活動，不用討好別人，不用觀言察色，不用做着虛假的反應，腦袋不用高速轉動地給予合適的答覆和滿足他人的期待，自己一個的活動，才是真正的放鬆，這才真的可以休息並讓身體回復電量。我喜歡自己看書、看電影和去旅行，不過最近工作太忙，都沒能出一次遠門，所以我就迷上了在電腦地圖上「旅行」，我也覺得自己有點太過沉迷了，有時三更半夜都不願睡，只為在地圖上自由地探索。

在電腦地圖上「旅行」對我來說是一個很好玩的遊戲，我喜歡在地圖上挑一些極偏遠，偏遠到我覺得自己這輩子都未必會踏足的地方，如最南方和最北方的邊界、沙漠的中央、太平洋正中的火山島及側邊一些說不出又記不住名字的小島嶼，然後我會採用置身其中的實景圖模式，感受一下那個仿如平行時空的空間，不時轉入一些橫街小巷中，直至地圖上沒有記錄那地方的相片為止。

雖然是靜態的相片而不是當地的實時影像，但我會當自己是真正的旅客一樣，見路就走，見建築物就參觀，有時還會看到不錯的畫面呢！例如在南極那邊，我見過一隻企鵝與鏡頭只有咫尺距離的大特寫；又遇過勘察隊的隊伍在紮營；另外更到訪過一些極偏僻的小島，島上的一家理髮店裏，有位外籍髮型師在對鏡自拍；還有一望無際的海洋；杳無人煙的火山口湖；海邊小島的豪宅地段，每家每戶都是獨立屋兼有一個私人泳池，那些泳池都採用不同形狀的設計，仔細觀賞的話就會了解到每個屋主的喜好和風格。這些有趣的畫面我都會擷取截圖，地圖旅行都少不了拍攝觀光照吧？我的電腦桌面有一個名叫「online travelling」的文件夾，專門儲存這些相片，或許我再也不會記得那些地名，又不會再次點擊到同一個地方，所以想將這些景物作為留念。那些離自己幾萬公里，相隔多重山脈和汪洋的風景，可能永遠都不會真實地呈現於我眼前吧？

我們看到地圖的這些實景相片，其實是由一些街景操作員拍攝的，我在網上看過一些報道介紹這些街景操作員的工作，也真的毫不簡單！因為那些相片都是三百六十度拍攝的，所以他們並不是用普通的相機輕輕鬆鬆地拍攝，而是背着一個如巨塔，又有點像發射器的背包器材，攀山涉水地拍攝！聽説那個器材重二十公斤，還得背着它上山下海，實在令人佩服！不過因為不斷更新這些相片很費時，所以我們看到的地圖相片都未必是最新的，有機會是去年又或是更早的年份，有時同一個地點，在下次點擊進去時，又會換了其他年份但同一地點的相片，都挺隨機的。

我沉迷的熱度已經達到連他們背後怎樣製作都知曉的程度，可見我是多麼的喜歡這個活動，就如小時候沉迷打機一樣地廢寢忘餐，全神貫注。我有時在想，我會不會在地圖上發現甚麼驚人大秘密、會不會發現那些麥田圓圈、會不會有外星人或靈體的蹤影？是有點太誇張吧？不過，這天，我倒是發現了一張特別的相片。

我今天點選的是一個雪山近山腰的位置，這些地方多數都只有壯麗的景色而人跡罕至。我欣賞着這片未被白雪完全地覆蓋的森林，一棵棵松樹佇立着，組成不同的區域，中間衍生出不同的雪道。深綠色和白色在畫面中各佔一半，非常平均，葉子在白雪的襯托下更顯高貴，我幻想着如果在這裏滑雪應該很不錯吧？就如打機時的滑雪遊戲一樣，我一直都希望可以試一次在山上滑雪呢！本身我只用第一身的實景模式去探索，但太過偏僻的位置就只有灰色，沒有路可以給我看實景了，不過在一片灰色沒有實景的地圖中間，有其他用戶上傳了一張相片，我就點擊看看那個地點的相片，特別的是這張相片是由高處又廣角的角度拍下山腰的一段，那裏有一間小屋，那個小屋就如童話裏的小屋一樣，有一個煙囱，有三角形的屋頂，而屋頂佈滿一層厚厚的積雪，牆身則是棗紅色的，與暗暗墨綠色的松樹很合襯，頓時聖誕氣氛滿滿！

特別的是這屋前有兩個人。

在如此杳無人煙的地方有一戶人，更要剛好捕捉到他們在門前的畫面，應該是極小的機率吧？所以我不禁想要細看一番，滿足一下自己的想像慾望都好！其中一人正正在屋門前，身型比較矮小一點，穿着長長的深灰色大衣，圍上深啡與淺啡色格子頸巾，雖然人面被系統保護模式下變得模糊看不清楚樣貌，但感覺她是一位老婦，因為很多時童話故事中的小屋主人都是一位慈祥的老婆婆吧？而正在與她對話的另一位，身材比較高大，穿着棗紅色的登山服、黑色的頸巾、橙黃色的冷帽，手拿着地圖，似乎是迷路了？

有種小學時的看圖說故事之感，由這些表面上的細節看來，我覺得是身材高大的那位迷路了，然後想找小屋主人幫助帶領他前往下山的路，不過天色已漸漸沉下來，他可能要在此借宿一宵了，不知道老婦會否讓他住下來呢？最簡單又平實的故事就是如此，然後第二天，身材高大的他就下山去了。

不過，如果這涉及其他原因呢？如果這並不是一宗簡單的迷路事件呢？一般的登山客會突然出現在此嗎？眼見這張相片，小屋後面的山坡和小屋前一帶的山坡都沒有電纜或一些似是現代化的設施，也就是說這裏不像是一個滑雪場，亦沒有登山纜車，如果有纜車，登山客就會沿着電纜走，就不會走到這裏來了！而這又不像是山徑之類的行山路線，亦不會有人想住在行山路線旁邊吧？總之，色彩鮮豔的他出現在這裏，其實是一件極不自然的事。

他為甚麼會走到來如此偏僻的地方？你可能會說，迷路就是迷路，哪有原因呢？他又會不會是電影中的那些隱居於深山的變態殺手，伺機找到下位倒霉的獵物……不！不！不！隱居於深山的變態殺手可能是那位老婦才對！如果她是屋主又了解附近的地勢環境，每一處都是她毀屍滅跡的絕佳地點！可能在那棵樹下挖個地洞，埋了那個登山客，沒有人會經過，亦不會有人知道是哪一棵樹，神不知鬼不覺，堪稱是天衣無縫的計劃！

又或者，老婦沒有體力搬起一個成年高大男士的身體，於是將他拖拉到屋內進行「分拆」步驟，然後每次逐少逐少地帶出去，再找不同的地點，這一塊、那一塊，慢慢地將他埋起來。突然想起一套外國的紀錄片，講一位外表毫無殺傷力的老婆婆原來是一個以殺人為樂的殺人魔，專門毒殺老人院的老人家，所以，也不要太過小覷老婦，要狠毒起來也實在毫不手軟。

我的想像力也挺不錯吧？有時我也會停止不了地想研究下去，想了解更多那些地方周邊的一切，如相片以外的道路、環境、建築物及那個地方的簡單歷史等，但有時那些地點真的太過偏僻，偏僻得根本沒有人會有空閒去理會它的歷史，那片雪地一直都在呀，沒發生過甚麼大事，也沒有甚麼代表性，它就是一直都存在，這就是它的歷史，有人會有興趣嗎？想一想也覺得沒趣，歷史一句就已經總結了這地方幾百年來的價值一樣。其實地圖上還有很多這類無人踏足，卻又還有零星幾人在生活的地方，那些沒有任何相片的未知地更加是多如牛毛，每一想到這，就覺得與這些地方相距甚遠的自己非常渺小，我真的這輩子都不會踏足這些地方嗎？還是，其實是有機會的呢？

如果，我只是說如果，如果我找得到這間小屋，我是否可以一睹這老婦的真面目呢？又會否真的發現她的秘密呢？正當我差點打消這一閃即逝的念頭時，相片左下角的某一棵樹下的一個鐵鏟吸引了我的注意，在這種地方出現鐵鏟會是怎麼一回事？這張相片，是預視兇案的發生，還是兇案已經發生了？老婦已經殺了人兼埋好，正準備殺眼前的這個男子嗎？如今這個男子還安好嗎？拍下這照片的人又是誰？他上傳這照片是有甚麼目的呢？

又或者，這個鐵鏟會不會真的只是為了鏟去積雪，又或者只是用作平常的用途？其實只是我自己大驚小怪吧？不，不，不，以我的直覺，我覺得一定有事情發生了⋯⋯這個感覺強烈得令我的心在狂跳，身體在抖震，灼熱的眼睛只能定格地凝望着熒幕不敢眨一下眼，好像一閉目就會失掉了細節，我連呼吸都變得急促，差點就換不到氣，這個狀態太不尋常，所以肯定有不妥的地方。

那個鐵鏟，究竟是誰放在那裏？他又用來幹甚麼的？總覺得，這是一個標記似的⋯⋯

我一時間不知道該從何入手，慌亂之下就只好以最直接的方式看看是哪一位上傳這張相片的，因為平時點選的相片都會顯示上傳者的姓名，有時同

一個帳號在不同地方都會拍過一些相片，點擊他們的名字就會看到他們上傳的所有相片，我希望可以從中找到一點線索，或許再有一些其他角度的相片可以看清楚那個鐵鏟、那間小屋或小屋周遭的一切，甚麼都好，我想知道更多細節，更多可以肯定或否定我所猜想之事的線索。

可惜的是，這個帳號沒有顯示名稱亦沒有上傳更多的相片，就只有這一張而已。不過我突然靈光一閃，這張相片是何時拍攝的呢？如果離現在不遠，可能還有找到真相的機會吧？我一看相片正中的最下方，標示着的年份是去年，那似乎仍有機會找到更多！對了，不知道有沒有這個地點早些年份的其他相片呢？說不定會看出一些不同？我先將這張相片截圖並保存起來，然後嘗試不斷重新載入畫面，看看能否有機會隨機派到這個地方不同年份的相片，我不停地重複這個動作，好像着了魔似的，我也不知道自己為甚麼比平時更加投入這個自己幻想的偵探遊戲，可能就是抱着「如果這不是遊戲，而是真的呢？」的這種心態吧？如果真的有甚麼奇怪事發生了，相信受害人都會想真相被其他人發現的吧？就算可能已經無可挽回。

可是期待又再次落空，我連續重新載入畫面近三十分鐘，都仍是只有這個年份的相片，不過那也可以證明一件事，就是這個地方真的人煙稀少，並不在那些街景操作員的拍攝路線之中，如果要進行謀殺案，可能真的是一個完美的地點，只是，現在有這張相片出現了，而我又看見了，就再也不算是完美了。不過看着這屋子，總覺得有一絲眼熟，我不再停留在這張相片，反而走遠一點，我挑選了地圖上山腳有實景瀏覽的位置，原來這個位置都可以看到紅色小屋的一角，但如果看到剛才那張小屋相片，在山腳的這個角度看上去，根本就不會知道它是間小屋吧？

我好像見過這個畫面，我離開電腦，找找書桌旁邊的小矮櫃下面第二格抽屜，我拿出一個鐵盒，那個鐵盒是某年去大阪時買的手信，覺得那紅色的磨砂鐵皮和鬍子公仔挺可愛的，所以留起來了，然後我用來放收到的明信片。我翻着翻着，海、花、草、山景、卡通人物等不同的畫面快速地閃過於眼底，雪景，找到了。我抽出這張雪景的明信片，雖然與剛才山腳位置的實景圖不同角度拍攝，但我認得是同一個地方，因為都可瞧見到山上的那一點紅色，而我對這張明信片有點印象，是我一直都覺得那紅色的是小屋？為甚麼會有如此的感覺呢？這張明信片是誰寄給我的？我翻過後面，寫着一句：「願回憶同在。」但署名已經化開了，是給雪地的雪水沾到了吧？

很詭異，在昏暗的燈光中，看着那行手寫的字，實實在在的，但我又完全沒有頭緒，我有甚麼朋友去過那個地方嗎？那與在地圖的那張相片又有沒有關係？那些字跡好像在告訴我，一切都不是自己想得太多，是確確實實地有些事情發生了……

我從心裏抖震起來，是凌晨時分太過冷，還是一個人的空間太過寧靜？

小睡了好幾個小時後，天已經亮起來，那粉色帶白的朝霞只屬於在這個時分的清晨。我都沒有睡得太好，說是小睡但其實只是閉上了眼睛，腦袋還是不停地轉動的那種，總之就好像沒睡過一樣，因為那個想弄清楚所有事的心情一直在催促着我要趕快地做些甚麼。於是，我爬下床，深呼吸了一下，下定決心了！然後重新打開電腦，這次是查看那個城鎮的名稱，再研究接駁的交通，雖然有些崎嶇，但應該還是可以找到接駁車或租車的服務吧？不然就自己行山上去，雖然現在應該仍是雪季，不過之前旅行都有過相類似的經驗，不再是新手了，我的體力和身體都應該應付得來，我有信心。所以，我買了五日後的機票出發。

反正我也很久沒有放假了，正好適合來一趟旅行吧？雖然有點急，但我真的很久沒有覺得需要如此急切地去做一件事了，我很想知道這張相片背後的故事，就算到達了小屋只是看到老婦安好健在都好，我想親眼去確認一下。是的，有可能一切都只是我的幻想，根本一切都沒有發生，相片就單單只是一張拍下了問路情況的相片罷了，但我就是想知道。

說起來，也真的很久沒如此說走就走，年輕時總覺得「說走就走」是很有型的一種態度，但現在則覺得有點造作，看着那些明明已經計劃了好幾個月的人，然後在上傳的相片上打上一句：「來一場說走就走的旅行吧！」就尤其覺得噁心。總覺得這些人只是享受打卡，享受上傳照片中所營造的氛圍，儘管那些相片加了很多濾鏡、調色和變形甚麼都齊，就連藍天都可能是假的。我都不知為甚麼現在會想起這些有的沒的，我還是先收拾可能會用到的東西吧，例如被襲擊的話，我應該用甚麼來自保或還擊呢？可能是一些必需品，不太起眼的就最好？又例如要準備一下我到訪的原因？可能老實說出原因就已經可以了？還有保暖的衣物，這些必不可少，先找找自己的登山外套放在哪……

沒想到地圖上的旅行會變成真正的旅行，看着飛機窗外的一片雲海才覺得有一點實感，雖然每次都是不同形狀的雲朵組成的一片白色，但就是百看不厭，看着此等景色，才有逃離壓力之感，我每次都很着迷地看着那些雲層的變化而不願睡覺。而這次一想到下機後看到的又是另一片白色就有點心急，有點緊張，有點期待，又隱約有點害怕，我知道現在才折返還不遲，沒有甚麼是太遲的，只要我想回去就可以隨時回去，這是我給自己的安全防線，要知道自己隨時都有退路。

將近降落，窗外的景物都被覆蓋上一層白雪，還記得第一次看雪景時，我覺得這片景象有點像遊戲《牧場物語》中的冬天田野，一塊一塊均等的白色方塊，有點可愛。我在腦海複習一次之後十多個鐘頭的行程，首先在機場到內陸線轉機，機程約三小時，到達後再買巴士票，車程約六個小時去到南面的一個小鎮，之後再轉乘另一輛當地行線巴士，又再搭三小時，那時應該差不多已經入夜吧？我應該會找一間小旅館休息一晚，然後翌日就會開始登山，因為那個位置應該太過隱蔽，實在沒有公共的交通工具行經，那小屋的主人平日是如何生活？或許她有部雪車？又或者她每一星期才下山一次？不知道。反正我也想真正行一次地圖實景圖的地方，所以其實我也挺期待登山的行程。

在這十二個小時的車程中，我的心情都很複雜，因為到真正出行了，心中的焦慮與疑惑好像暫時被旅行的雀躍情緒所掩蓋了，我差點就忘了明信片的那行字……我將明信片帶在身上，當它是護身符又好，線索又好，或許自己突然會靈光一閃而有印象這是誰的字或是誰寫的，一有空閒我就研究明信片和自己截圖下來的那張地圖相片，並想了幾百幾千種可能性，想像了不同的故事版本，每一次都覺得很窒息，令自己由旅行的期待中走出來，放下那種小學生去學校旅行的歡快，我不可以有這種期待的。

我拖着疲累的身軀，揹着沉甸甸的背囊下車，此刻只想快點到達旅館休息，今晚一定要養精蓄鋭，因為明天要登山，我估計路程應該需要三小時吧？不過加上積雪，可能要更多的時間也説不定，總之要處處謹慎小心，這怎樣都是一趟很多未知數的危險之旅，一不小心可能會因為意外或人為的因素而丢了性命……來到了小旅館，我特地找一間在山腳附近的旅館，那是一間小小的木屋，看上去有點簡陋，不過只是留宿兩晚，應該沒有太大問題的。我到達時已經將近凌晨十二時，所以早就已經沒有人在接待處，所謂的接待處其實只是木屋中的一張小桌子，要住的房間應該在二樓，這間木屋旅館只有四至五個房間，因為平時太少人會來了，所以都足以應付。我到接待處看看旅館主人有沒有給我留下鎖匙，就發現他給我留下了一張字條，説鎖匙掛了在牆上，我可以自己入住，他還説希望我這次都會住得開心，還挺熱情的。

我步上二樓，感覺空洞洞的，有點像那些外國的恐怖變態片，夜裏會有人站在你床邊，然後殺你一個措手不及地偷襲你，又或在窗外靜靜地看着你睡覺，這個旅館就是滲透着這一種陰森的感覺。不過也沒時間幻想太多，我得把握時間好好補足睡眠，感覺我離這個謎團的真相就只差一步，我想知道的一切，都在那間小屋中等着我。就算一切都只是我的妄想，這也是一個答案，我沒有後悔來到此地，因為在地圖上看過幾十次的街景就在我眼前，實實在在地呈現於眼前！這種感覺很神奇呢，我竟然來到那些我以為自己一輩子都未必有機會踏足的地方……想着想着，我就入睡了……

第二天我很早便醒來了，雖然仍未充足地回復體力，但我只想快點出發。窗外的陽光特別刺眼，可能因為積雪的反映？那些白雪白得過份，直視得太久就覺得眼睛刺痛，感覺今天整個人的狀態一般，不過我得追趕時間，不能有一刻遲疑，我要打起精神來！

我梳洗並整理好行裝，準備自己的登山之行，我背着登山背囊由二樓下去。

「嗨！」接待處有一個男人熱情地向我打招呼，好像很熟絡似的，有時我真的很怕這些情況，不知道怎樣回應如此高能量值的人，但又怕得失大家，所以我向他報以微笑。我想他是旅館主人吧？可能都需要交談數句？

「你好嗎？睡得好吧？我專程安排那間房間給你的！」他再大聲地說。似乎他真的是旅館主人，我只是謝謝了他，然後匆匆趕出門了，我也着實是趕時間的，所以不想與他寒暄太久了，不過那間房間有甚麼特別？可能因為是閣樓比較靜的一角吧？我也不想考究太多，因為很多時候這些外向的高能量類型人士，有的沒的都能說上半小時以上。

總之，我的旅程要開始了。

我拿着地圖由山腳開始走，一開始還是在登山路徑上，但之後到了樹林部分就得在分岔路口上選擇地圖上沒有標示的路徑，我自己還算處理得了，其實我是挺喜歡這些有挑戰性又天然的路徑，比起那些人工的混凝土山路和梯級的所謂「行山」活動，我覺得現在才算是真正的行山。

「呀！我行不了！我不想行啦！」我突然聽到一把女聲在自己背後響起。這應該沒有其他人才對，我前前後後都沒遇到其他的行山客，在異國還聽到自己熟悉的語言，更加是少見的巧合，我立即回頭，可是甚麼人都沒有，只有白茫茫的一片雪景。的確是有一陣寒意，不知是這番景象，還是確切身體帶來的毛骨悚然。

我安慰自己，可能因為想起自己過往在山路上遇過不少公主病的女生，要男生幫忙打點一切、不停喊累喊辛苦、發脾氣或哭罵之類的畫面和對白不停在自己的腦海中迴響，而現在四處無人的環境下，回憶的片段就被放大得誇張，連聲音都被放大到以為人就在自己後面。這個解釋有點勉強？但此刻我就只可以為自己如此解釋，如果往其他方向胡思亂想的話，在這個嚴峻的境地中可能比較危險吧……

在山腳時還是風和日麗，但來到了山腰的樹林路段則開始有點風雪，雪粉不算大，但吹在臉上還是有點刺刺的冷，另外，因為這段路已經不是行山徑的路段，基本上不會有人前來，積雪的道路比較難行，因為踩在那層積雪之上，根本不知道那一步有多深，實在步步為營。希望天氣不會變得更壞，起碼在變壞前先讓我到達那間小屋吧，我如此祈求着，而我知道，小屋應該離我不遠了，因為我已經看到那個煙囱，而煙囱冒着縷縷炊煙。

有煙即是有人在。

即使舉步艱難，我還是試着加快腳步，心跳聲不斷，甚是緊張，一是因為運動量所致，二是我完全不知道之後我會經歷甚麼，而屋裏的人又會有甚麼動作。不過已經來到了這一步，我希望會有個答案。

紅色小屋終於出現在我眼前，在電腦地圖上觀看過無數次的影像，現在就佇立於我跟前，我以為會很震撼，但原來感覺又不似預期，我覺得紅色小屋的各種細節都與相片中一樣，可能已經看過太多次那張照片，也不自覺多次幻想過此刻的畫面，在腦海中太過熟悉，所以才不覺得新鮮吧？我喘着氣，來到了紅色小屋的正門前，我想先整頓好自己的呼吸，我的手亦緊握帶來的工具，然後敲門。

能聽到屋內有動靜，應該是有人跑來應門了。小屋的門打開，應門的是個頗為健碩的外國女人，她有一頭金髮，年紀大約六十左右？我還不太懂得猜測外國人的年齡，因為他們大部分都比真實年齡看上去更老，不過相片中的老婦好像沒有她的高度，而且相片中的她並不是金髮的。她看到我，臉上露出一絲驚訝，然後才微笑相待，可能因為平時根本沒有人會拜訪吧？這反應也是正常的。

「打擾了。」我有禮貌地說。

「先進來吧！只有你一人嗎？」她四處張望，然而，在這個一眼便看到有多少人的空曠環境下，這個動作顯得有點突兀，她也很緊張吧？在如此的情況之下，有一個陌生人走進自己的家中。不過難得她邀請我進屋，我就不客氣了。

「你不會是迷路了吧？我給你倒杯茶。」金髮女人安頓了我坐在休息區說，然後就走到開放式廚房位置去準備。我脱下棗紅色的雪褸，趁機看看這小屋的內部裝潢，小屋的佈局很簡單，一進屋就是一大片的長方形，離門口最近的就是開放式廚房，然後就是火爐休息區，最遠的是工作桌和床鋪，角落還有一個小房間，應該是洗手間和浴室。小屋的佈置很簡約，當中亦有不少布藝的裝飾，不過最吸引我的卻是在工作桌附近掛在牆壁上的那條深啡與淺啡色格子頸巾，那張相片上，那個女士圍着的一條。

金髮女人回來了，她小心翼翼地放下了一杯熱茶，卻看到我的視線定定地望着那條頸巾，這一瞬間感覺如箭在弦，有點一觸即發的危機感。

「上次她留下來的，你要不要帶回去？」她先打開話匣子，打破那一刻的尷尬。我也報以微笑地點頭。

「那……她這次沒有來嗎？」金髮女人正眼看着我並試探地問。我知道我的回答將會是關鍵。

「她沒來呀，她有點事，但我會給她帶回去的。」我笑着説罷，就用手中緊握着的刀子衝着金髮女人揮去，打算出其不意地制勝！

不過！她的反應竟然比我想像中的敏捷，就在我的刀子快要碰到她時，她將熱茶一把潑在我臉上，燙得我一時間失去了視線，疼痛之下我只好胡亂地揮舞着刀子，以免她攻擊我。以她的反應看來，她是知道了。

她知道了我做的事。

所以她也不能留下來了。只是我沒想到我會如此狼狽，就在我忍着痛楚睜開眼睛，金髮女人已經將長形的重物一記打在我的後腦上，我覺得我此時就像那隻走進三隻小豬屋中的豺狼，自視過高而不敵眼前狀況……但我畢竟是一個男人，在體格上應該不會輸得太多，我試着抑制住暈眩和劇痛，先處理眼前事，我揮舞着刀子，感覺劃到她的手臂，因為我聽到她慘叫了一聲，不過她沒有因此被擊倒，反而向我掟更多雜物！我用手擋着，這些都是一些小型雜物，沒有太大的殺傷力，阻不了我向她步步進逼！

我衝向她，刀插上了她的腰部！她罵着髒話的同時，從後就一鍋熱水往我潑！這次由頭到腳的滾燙灼熱感令我全身都動不了！怎料到她會有此一着……我要完了嗎？這次我要完蛋了……

我沒想到的是會有那張相片的出現。

看到圍着深啡與淺啡色格子頸巾的她和穿棗紅色登山服的我出現在地圖上，我着實是慌了。為甚麼會有人拍到那一刻！那就會有人知道她最後出現的地點，知道最後與她在一起的人是我了！明明我是多麼不想記起那一切，我想當作一切都沒有發生過地繼續過活，明明周邊的大家都配合着我，不再提起任何與她相關的事，為甚麼要提醒我呢？

不，我不用如此着慌，相片中又看不到我們的樣貌，其實沒有人會知道那是我和玥兒。別人可能會覺得那是一位老婦，似是小屋的主人，而那個男的就是一個迷路登山客，不會知道我們是一對迷路的情侶，不，「裝作迷路」才是對的。

我曾經很愛玥兒，非常非常愛，所以很多事情都願意讓她作主，只要她開心就好，因為她開心，我就會開心。曾經我的快樂源頭就是她，她要我做甚麼我都會做，給她租一個地方、幫她付上大部分租金、給她資金創業、開一間她喜歡的瑜伽教室以及替她物色所需等等，她只要開開心心地做她的老闆娘就好，其他所有我都會替她處理好，我不想她擔心任何麻煩事。她有公主病也不要緊，因為我就是要寵她如公主。

我還會接收她的所有情緒，她不開心時要逗她開心，我的言行都得小心，以免她心情不好時，一些敏感字眼都會觸動她的情緒，一不小心就會令她的心情變差並以我來發洩。很多朋友覺得我愛她愛到自己很卑微，為甚麼要將自己放在如此低的位置？他們不明白，有時喜歡就是喜歡，我就是喜歡看到玥兒的笑容，也喜歡看到她可以做自己喜歡的事，當她有活力地去展現熱情，就是我覺得她最吸引之處，而我就是背後支持着她的幕後功臣，她也會很感激我，所以我很樂意去做這些事，只要她開心。

但我是一個高度敏感的人，我覺得自她開了瑜伽教室後，她就常常稱很多行政事務要處理而不回家睡，並選擇在那邊過夜，她又分享她最近除了女學員外，更收了一個男學員參與課程，她説那個男生是陪女朋友來上堂的。然後不時又會分享一下那個男學員的種種，如上堂的趣事、做不到哪些動作、又覺得他的衣着有時很有趣、更會有時説那個男學員的女朋友對他不好，每次上堂其實都只是想男朋友替自己拍下美照，而不是真心想男朋友學習放鬆和舒展筋骨，説穿了那位男學員對他的女朋友來説，只是一個行走中的便利腳架。聽着她的分享，我就覺得事情未必如此簡單，因為她每次説起那男生總是眉飛色舞兼神采飛揚，她明顯地對他有興趣。

可是我阻止不了，要控制一個人的行動是不可能的，更何況是兩個人。有天我趁她有其他事要處理時，用後備匙上去瑜伽教室，雖然沒有捉姦在床，可是那個程度都不亞於此，因為我在那個接待處桌子下面的小垃圾桶，找到了一個皺巴巴並使用過的避孕套。她與那個男學員會在哪個位置進行那檔事呢？我眼前的工作桌？還是在教室的正中的那些瑜伽墊上？還是在較為隱密的更衣室中？又可能，全都試過。

我不敢想像更多情況，那刻我只想逃離現場，我希望是我看錯，我亦希望是一個誤會，一邊想欺騙自己，另一邊卻又在提醒自己沒有那麼多巧合，證據放在面前都仍然不相信，是因為自己選擇不信。但我沒有選擇撕破臉皮與她對質，我希望給她一次機會，如果她還願意隱瞞和說出善意的謊言，即是她還是不忍心我傷心，她還是在意我，亦不想做壞人的角色，這都是為我着想的表現。反之，若她真的發難兼坦白，我想我真的會接受不了，我也不敢想像自己的反應……

我想和玥兒來一場旅行，我們欠缺的是深入了解的機會，這陣子大家都太忙了，要安排這樣，安排那樣，可能因此而忽略了她的感受，減少了對她的關注和照顧，她才會在別人身上尋求其他慰藉。所以，為了補償她，我提議與她一同出走，當我跟她提出這個計劃時，她欣然地接受，那我就更加肯定她與男同學之間只是玩玩而已，她知道我才是她的家，才是她一定會回來的地方。

但如果她在旅程途中有甚麼變故，我都留有一手……

我們決定去一趟雪地之旅，我與她分享在地圖上找到了一個不錯的地方，那個山景很不錯，而且山腳有間不錯的小木屋旅館，她也表現得雀躍和期待。她看着我給她參考的旅館相片，臉露出的真摯微笑，就如我們初相識時一樣，令我覺得只要有她的笑容，就能成為我一切的動力來源，我忍不住輕輕將她掉落的髮絲繞過她的耳後再摸摸她的後頸，她卻定睛地看着我，不好意思地躲開了，說訂好機票就讓她知道，她要想想每個地點的穿搭，看看是否需要在出發前添置甚麼。如此的羞澀就如當初我認識的她，不知她有沒有同樣的感覺呢？

旅程間我們相處得很好，我亦沒有刻意問她瑜伽教室的事，她亦沒有再如之前般常常提起那個男學員，但我覺得她看電話回覆訊息的密度確實比以前高，而每次察覺到我在偷瞄她的電話，又或者想問她那是誰，她都會反射性地將電話稍為側起來，不讓我看到，並說這是她的好朋友寶敏。看到她如此笨拙的隱瞞也實在氣不下，我知道她已經盡了她最大的努力去保護我，不去傷害我，只是我真的希望她可以放下電話，將注意力全時間放在我身上，我不想她看着電話然後敷衍地回應我跟她説的話。所以，轉機時，她不小心漏了電話在候機的座位上時，我就將她的電話收起來了，同時拆下了電池和丟棄了電話卡，是的，我沒有要偷看的意思，我不需要再多的證據，知道得再多去證實這件事對我也沒甚麼好處，既然玥兒努力地保護我，我也不要傷害自己，所以我是不會偷看那些可能是情慾短訊的種種，我真的不需要知道。

可是玥兒發現電話不見了就非常不高興，任我再怎樣逗她，她還是板起了臉，亦要求全世界工作人員為她找電話，但因為轉機的時間趕急，所以最後都不能堅持，她自己的記性又差，不知道自己最後放了電話在哪，沒有甚麼線索。機程上，她先是不停怪責我沒有提她電話要緊隨身上，又怪我沒有好好看管她的電話，我提議她用我的電話解悶，她卻一手推開，說不需要，我哄她，拍照打卡都可以用我的電話和相機呀，我們這趟旅程就試着放下電話，大家好好地相處，她之後就默不作聲不理睬我了，只是靜靜地別個頭來，看着窗外的雲層變化。但我知道，沒有了與那個人的溝通作為阻礙，我們定能重拾最初的美好，此時就讓她先冷靜下來，之後的旅程她都得倚靠我，只要等她的心情好轉就可以了。

下機後，我知道她的情緒也安穩下來，她也乖巧地牽着我的手，跟着我去拿行李、轉車和搭車，我也試着聊起我們以前的事，她都聽着，不時會搭幾句話，也感覺到她由完全抽離的態度到慢慢投入。

「以前我們真的很好。」她淡淡地吐出這句。

別人覺得她是野蠻、拜金及物質主義的女朋友，可是我們也有過一段美好的日子，我們喜歡同樣的電影，會一同看午夜場，然後在戲院門外雀躍地討論劇情，沒有一小時都不會回家，因為我們都捨不得分開；我們會去看各種展覽，在博物館看畢所有免費的展覽，待上一整天都不覺無聊；我們甚麼都會聊，我們聊書本、聊演員、聊興趣、聊旅行⋯⋯那時她還未認識那些名牌的名字，那時我們的話題都是圍繞着那些精神層面上的滋養，我都不知道是何時開始產生的變化，可能是因為寶敏介紹她去做名店的售貨員吧，認識不同圈子的價值觀，亦認識到階級身份的差別，同時經歷到職場的險惡與欺凌，所以她之後才會想遠離那個環境，選擇開瑜伽教室，可是她心底裏還是眷戀着那些物質，不希望被別人看低⋯⋯那時開始，她就只會研究那些品牌、速食的時裝和潮流，希望自己可以追趕到那些步伐，不要比別人落後。

我們已經很少去旅行，亦很少去看電影，更莫說是討論各種文化話題，我們變成了共同生活的同住人般，身處在同一空間卻完全互不干涉，彷彿我們的頻道已經錯開了，思緒上再接不通。

以前我們真的很好。我也認同的，而我希望我們可以回到那時，只要大家共同努力的話，就可以回到那時。我祈盼着她也有同樣的想法，不然我破壞的就可能不只是電話，而是對話那邊的那位，或阻礙玥兒回到我身邊的一切。

來到了那間木屋小旅館，我本身以為玥兒會有點雀躍，因為旅館主人說安排了最好的一間房給我們，但她還是嘆氣連連，提不起精神來。我猜她只是太累了，畢竟我們都舟車勞頓，可能到明天她就會好一點。在房間安頓後，我叫旅館主人替她準備一杯熱牛奶，希望她可以睡得好。

「我有些話想跟你說。」她坐在床沿拉着我的衣袖說。

「有甚麼等旅程完結後才談吧？我們今天要早點睡，不然明天會沒精神又沒體力呢！」我打起精神地回答。對於她想說的，我都不想知道。

「我不想一起了。」她還是說出來了。

「對不起……我想分手。」她嘀咕着，可能是想說清楚一點。

「為甚麼？」我知道這分明是要她難堪，我就是要聽她說出口。

她卻沉默不語，看來是不想承認自己做過的事，卻又想與我撇清關係。

「不用說了。」我轉身甩開她抓住我衣袖的手。

「對不起……」她只懂弱弱地重複道歉的話，收起了平日的氣焰和蠻橫。

我們都沉默了一陣子，找不到合適的語句，不知道還可以說甚麼。其中一方想分手，就算另一方不同意還可以怎樣？根本就沒能不同意，對方都已經沒有心神去維繫，死守不放的話都沒有意思，亦根本沒有讓你不放手的餘地。

「你可以陪我完成這個旅程吧？總不能就此丟下你不顧。」我說。

「當然可以！」她好像終於猜得透我的情緒而突然明朗起來，是因為知道只要完成最後一個任務就可以與我各不相干而雀躍嗎？在她的眼中幾乎可以看到那閃爍期待的光芒。

「明天上山，我們都埋下一件紀念彼此回憶的物品吧，你當我是要最後的儀式感又好，放下心中的執着又好，希望你可以陪我認真地完成。」我說。

「好。」她慎重地頓一頓才回答，可能是因為不想爬山，又或者想不到我們之間可以留念的物品？

登山的過程不簡單，她亦有點小脾氣，差點不想行了，但為了讓玥兒看到紅色小屋，我希望可以一同完成這趟冒險。

我跟紅色小屋的主人借了個鐵鏟，說明我們想埋下回憶的小物，她說很少人會來到這片山頭，所以也很樂意地與我們交談了幾句，又請我們進去屋內喝一口熱茶先暖暖身子，她說鐵鏟剛剛用完，放了在離小屋最近的那片小樹林中，我們一行過那邊便會看到。現在回想，我們應該就是在這時被拍下了那相照片。

「我想了一整晚，其實我最珍貴的是我們以前那些美好的回憶，雖然都已經回不去了，但我也很感謝你帶給我的一切，所以我要埋下的是這張明信片，『願回憶同在。』」玥兒說有點頭暈，不知是否着涼了，但還是將明信片交給我，我接過明信片，那是我們所在的雪山中的一片雪景，但與平時的明信片有點不同，顯得有點粗糙，我猜是她今早在那間木屋旅館中買的，可能是那位旅館主人自己拍攝的吧？然後製作成明信片賣給少數來此地的旅客吧？

我手上的點點雪花沾濕了明信片，凝視着明信片的我，也有少許暈眩的感覺，可能因為太緊張吧？明信片上的雪景記下了我們這次的旅程，她的字句則帶着我們的回憶，然後她要把所有都埋起來……她是真的要放棄了。

玥兒，我最珍貴的東西就是你呀。

所以，最後，我忍着淚，

將她埋起來了。

被熱水從頭到腳淋下來的灼痛感原來會令人暈眩，明明很痛，明明眼前充滿危機，我明明就要保持清醒和警覺，可是卻怕是恐慌發作，我全身冒冷汗，眼周的視野漸漸變成黑色，我可以清晰看到的範圍不斷縮小，彷彿變成魚眼鏡頭的既視感，眼中心能看到的都瞬間變成漆黑一片，我昏過去了。

我以為我凶多吉少，然而，我被疼痛感喚醒，皮膚的刺痛一絲絲地將我的意識拉回來，我的雙手被麻繩綑綁着，我竟然還沒死！我用力睜開雙眼，視線有點模糊，但我知道我仍在那間小屋中，當我恢復意識，發現金髮女人就在我對面，目不轉睛地看着我，她的眼神中帶有恐懼，但更多的是憤怒。

我使盡力氣在雪地中以蠕動的方式爬行，我咬緊牙關忍着痛楚，使勁地用口咬起眼前的樹枝，然後下一步就是要將樹枝移到適當的位置。如果不是冰天雪地的寒冷令我的五感將近麻痺，我可能剛剛已經會因失血過多而立即往生，不過我知道我離死亡不遠矣，只是我希望在自己力氣將盡時，都要讓世人知道這個變態女人的秘密！

其實由當初一開始問她借鐵鏟的一刻，我們就應該察覺到那不尋常，她當時說鐵鏟剛剛用完，放了在離小屋最近的那片小樹林中，那她原本在埋甚麼？直到剛才她砍掉我的手手腳腳，我就知道了，她埋下了很多，很多迷路的登山者…… 其實當時我們已經成為了她的獵物吧？只是她沒有機會下手，我就已經比她先下手，然後再自己逃掉了…… 去年讓我意外地走掉令她很不忿吧？

我得把握最後的時間，把樹枝砌成最後的求救訊號……

此時，我唯一的寄望，就只有拍下那張照片的人……

最近，地圖上出現一張令人很不安的詭異照片，很多網民都在討論。

外國有一片山上的雪地上，出現了大大小小以樹枝砌成的「HELP」字樣，好像還有血痕一樣的東西在附近。當地的警方開始關注此事，聽說會派人去看看現場的環境。

而有媒體指上傳相片的，是附近不時會登山拍攝的旅館主人……

後記

謝謝大家購買並閱畢這本書。每一本書都不容易，這次同樣不容易。首先是去年專心去結婚，而婚後的生活再不是只顧自己一人，要安排和處理的事情都很多，要買餸、煮飯、整飯盒及做家務等，密度和份量都需要適應，不過整體我還是享受的，因為這是一個全新的開始，而勝哥亦很支持我。不過在處理工作、適應新生活及完成各種項目之後，再抽出時間寫作，竟然比我想像中困難和吃力，可能年紀大了，體力和意志力都沒以前頑強，每天完成一大堆工作後，好多次都因為累透而沒有能力寫作，我需要更大的毅力和動力才可以堅持下去。不過！當我真的有時間在鍵盤上舞動手指，將腦海的文字和情感毫無保留地傾瀉在文件上，我還是很投入和享受，這是我仍然很感恩的事。寫作，對我來說，仍然是一件令我減壓和快樂的事。

不過，其實每次寫作的感覺都很複雜，一邊很享受敲打鍵盤的快感，一邊又被自己的寫作心情所影響，然後胡思亂想，因為寫故事的過程中，很多時都是描寫一些我對生活的感覺和看法，有時儲起了，到寫作時，每一部分的心情和感覺都重新再剖析，每個部分都得很仔細地再經歷一次，然後心思就變得敏感，很多事情都會觸動到我的內心。

我總是有很多擔心，擔心大家會不會不喜歡我寫的故事呢？我寫的故事有沒有退步了呢？我想要傳遞的能否傳達到呢？如果大家不喜歡的話，那可能就需要認真考慮出書路程的終點。我想了很多很多，或許我寫的，未至於令太多人欣賞，但起碼我試過，現在也來到第五本，是一個不錯的數字了。

多謝你們看到我的內心轉變，這五本書確實帶給我一個很奇幻又美妙的旅程，謝謝你們每一位，讓我學到了很多，又收到了很多鼓勵，將來就算我暫時不再出書，我也會繼續創作故事，只是形式可能改變，但我想要分享故事的心情不會變。

一如既往，在後記都會分享一些感動我的書或影視作品，最近我看了一部應該將會是我這年內最深受其感動的動畫——《地。-關於地球的運動-》

（《チ。-地球の運動について-》），其中關於「文字是奇蹟」的一段我更是看了兩次兼抄摘下來，還要在這與大家分享！

節錄對白：

奧克茲：「看得懂文字是甚麼感覺？」

約蘭達：「我覺得文字簡直就是奇蹟！文字真的很了不起，只要使用文字，就能超越時間與地點，可以為兩百年前的訊息落淚，也可以為一千年前的傳說大笑，你能相信嗎？我們的人生都被困在這個時代裏，無法逃脫，但是，只有在閱讀文字的時候，能夠聽到古時候的偉人向我開口說話，在那一刻，我彷彿脫離了這個時代，變成文字的思想會永存於世，甚至可以不斷推動未來的某些人，這種事難道不就是奇蹟嗎？」

奧克茲：「有這麼厲害？」

約蘭達：「是，就是這麼厲害。」

文字就是如此厲害的一件事，打破地域和時間的限制，我讀着其他國家作者的作品，亦有其他人讀着我早幾年前的作品，是不可思議，亦真的是奇蹟。

當年有開始寫小說，有開始寫作，真是太好了。

二零二五年四月

我在電腦地圖上
發現了一宗謀殺案

作者	子程
校對	子曦
責任編輯	子程
設計排版	阿團 (ig@fantuen)
出版人	Leung Man Fung
facebook	tszching.tobecontinued
instagram	tszching.tobecontinued
emsil	tszching.tobecontinued@gmail.com
版次	二〇二五年七月初版
I S B N	978-988-704-04-2-2
承印	新世紀印刷實業有限公司